万引き

犯人像からみえる社会の陰

伊東ゆう Ito Yu

青弓社

万引き

犯人像からみえる社会の陰

目次

老女たちの悪事 118

外国人万引き事情 143

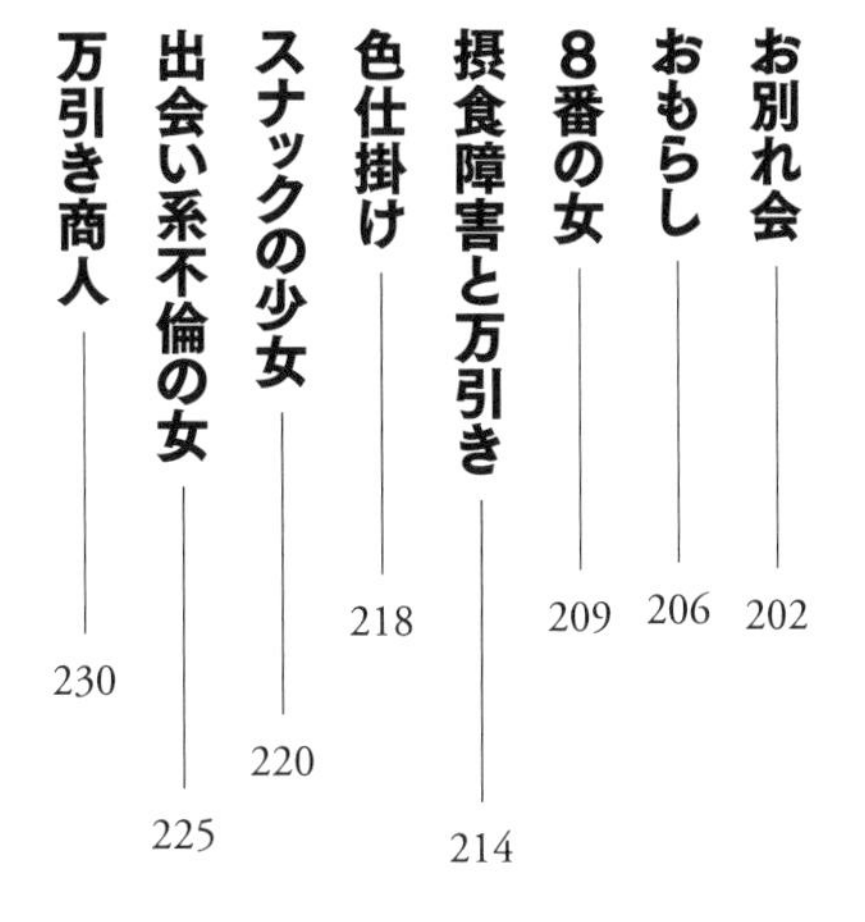

万引きする女たち 202

装画――poosan
装丁――神田昇和

まえがき

やろうと思えば、誰でもすぐにできてしまう身近な犯罪である万引き。一度経験しているという人や「盗ってしまおうか」という誘惑に駆られたことがある人も多いのではないだろうか。

私は、これまで二十二年にわたって五千数百人以上の万引き犯を捕捉してきた保安員、いわゆる万引きGメンだ。

「現行犯人は、何人でも、逮捕状なくしてこれを逮捕することができる」（刑事訴訟法第二百十三条）

この法を根拠にしているのが、保安員（万引きGメン）という仕事だ。資格が必要な仕事だと思われがちだが、破産者もしくはアルコールや薬物の中毒者ではないなど、警備業法に規定される欠格事由に該当しなければ三日間で二十時間の研修を受講するだけで誰でもなれる職業で、特別な捜査権は何ももっていない。

警備会社に所属する保安員の日常業務の流れを言えば、所属する警備会社の営業マンなどが開拓したクライアントの各店に派遣され、一日八時間勤務を目安に店内を私服で巡回する。常習犯に顔を覚えられる危険性などから同じ現場に常駐するケースはまれで、日々違う店舗に派遣されることがほとんどだ。直行・直帰の仕事なので気楽だが、警察対応で深夜残業を求められることがたびたびあり、勤務日に予定を入れにくいところが難点だ。店内だけでなく警察署の取調室も仕事場のひとつで、一般にはなかなか経験しないだろうがパトカーに乗る機会は多く、警察官や刑事、検察官を相手に仕事をする刺激もある。また、捕捉がなければ一日に二万歩以上も歩くという肉体労働の一面もある仕事で、さらには逮捕時に被疑者から暴行される危険負担も背負う。そのわりには社会的地位が低く、わずかな収入しか得られないために長続きする者は少なく、ベテランになるほど重用される傾向が強い職種だろう。

万引き犯に声をかける著者

保安員の主たる業務は万引きの防止や摘発だが、それ以外にも詐欺（おもに貼り替えや返品を利用した詐欺）や痴漢（盗撮、露出、トイレへの連れ込みなど）、置引、スリ、粗暴犯など、あらゆる店内犯罪を摘発対象にしている。人を逮捕するという作業は非常に責任が重いことなので、犯罪行為の一部始終を自分の目で確実に目撃しなければならない。万引き犯を摘発する場合の例を挙げれば、まずだいいちに商品を棚から取るところを見ることで自店商品であることを確認して、その商品を自己の支配下に置く実行現場を目撃する。そしてその犯意を確定させるために未精算のまま店外に出るまで追尾して、そこではじめて声をかけることができるのだ。このように犯行の一部始終を目撃することを現認というが、一つでも見逃してしまえば窃盗罪の犯意成立要件は満たされず、捕捉することはできない。

私が万引き犯を捕まえる様子をテレビ番組で目にしたことがある読者も多いと思うが、放送に至る被疑者は高齢者ばかりで、若い被疑者や窃盗団の捕捉シーンが放送されることは少ない。犯行に着手しても、撮影されていることに気づいて中止してしまうことが多く、放送に至らないのだ。万引きは、未精算の商品を自己の支配下に置いても、途中で出せば罰せられない。つまりは、バレたらやめればいいという理屈が成り立ってしまうから、手を染めてしまう者が減らないのだろう。

「万引きする人が、どうしてわかるんですか？」

万引きした被疑者を事務所に連行すると、店のスタッフや警察官が驚く。不特定多数の来店者から誰が万引きするのかを判別するには、その挙動を分析するしかない。保安員が基本とする着目ポイントは「目つき、顔つき、カゴのなか」といわれていて、まずはそこから警戒対象を割り出す。そうして、気になった者の商品の取り方や歩く速度、服装、持ち物などを観察することで来店者の買う気や違和感を見極め、通常客と万引き犯を見分けているのだ。万引きする者の動きは目的が見えない場合が多く、人を探していたり試食狙いだったり、トイレだけを借りたりするときの挙動に似ている。その挙動の意味が判明した正常な客を外していくと、買い物にきたとは思えない挙動不審者だけが残るはずだ。その者こそが万引きをするのである。

二〇二〇年は、新型コロナウイルスとレジ袋有料化に伴う混乱に振り回されて、仕事のうえでなにかと疲れる一年だった。万引きの世界では、レジ袋有料化に伴う現場の混乱に乗じた犯行が急増した。コロナ不況の影響もあって、初犯者や内部不正の摘発が目立つようになり、これまで犯罪とは無縁だっただろう者と接する機会が増えた。一方で、換金目的の組織的な犯行も増加していて、事後強盗事案に至るケースも目立つ。映画の上をいく、家族ぐるみで犯行を繰り返して万引きで生計を立てているような者まで散見され、完全犯罪を狙ったその悪質な手口にあきれたこともあった。万引き犯以外にも、なにかと大声を出して店員を威圧するクレーマーも頻出している。どこにいっても油断できない殺伐とした社会の雰囲気に、いやけが差す思いを抱いているのは私だけではないだろう。この国の治安や生活水準は間違いなく悪化していて、この先の社会情勢が不安でならない。

本書では、さまざまな社会問題と直結している万引きの現場の実態を伝えて、その被疑者像から垣間見える現代社会の陰を共有したい。

所轄警察署を疲弊させる万引き多発店舗の一日

釣り堀

二〇一〇年、警察庁が万引き事案の全件通報を通達した。それ以降、軽微な事案も含めてすべて通報するようになったために事後処理に割く時間が増えた。万引き犯の摘発は、その九割以上が保安員の手によるものだ。こうした理由で、おのずと巡回する時間は減り、それに合わせて捕捉件数も減少している。警察に提出する書類が簡易化されたといっても、それは微罪処分や簡易送致で済む被疑者に限ってのことでしかなく、基本送致、逮捕となれば、平均して六時間かかることにちがいはない。

万引き事案の全件通報指導が浸透する以前は盗品を被疑者に買い取らせてすませる店が多く、よほど悪質でなければ警察を呼ぶことはなかった。たとえ悪質な事案であっても被害届が出されることはまれで、通報されても罰金刑さえなかったことから、多くの常習犯がはびこっていたわけだ。一回の勤務で複数の万引き犯を捕らえることも多く、複数の万引き犯を捕捉して所轄警察署から怒られることも珍しくない。こちらとしては任務を果たして、刑事訴訟法に基づいて通報しているだけの話なのだが、あまりにやりすぎるとその処理に追われるためいやがられるのだ。万引き多発店舗で活動するにあたっては、その日の空気を読みながら通報する人数を調節するほかない状況といえるだろう。

では、万引き犯の巣窟と呼ぶべき現場での多忙な一日を紹介しよう。

当日の現場は、関東近県のベッドタウンに位置する総合スーパーYだった。全国展開するクライアントの支店で、この仕事を始めた頃から何度も勤務しているなじみ深い店だ。いわゆる低所得者層向けの団地が目立つ街並みは飲み屋とパチンコ店、それにファストフードの店ばかりで、あまり治安がいいところではない。保安員仲間から「釣り堀」と称されるほど万引き被害が多く、集中的に保安員を導入した結果、万引き犯確保の通報を入れすぎることになり、店の商品管理体制を強化するよう所轄警察署から警告を受けるほどのポテンシャルを有している。この店に行けばなにかが起こる。そんな現場の代表格といえるだろう。出勤時、現場に向かうべく駅前交番の前を通りかかると、立ち番をしていた顔なじみの中年警察官から声をかけられた。

「あれ？　きょう、入っているんですか？　まいったなあ」

「おはようございます。そんないやな顔しないでくださいよ。のちほどお呼びするかもしれませんけど、きょうもお願いいたします」

私の登場で面倒事を予感して、顔をしかめる警察官を笑顔でかわしてそそくさと事務所に向かい、副店長から昇格したばかりの新店長に挨拶をすませる。

「しばらくお願いしていなかったんだけど、本部に掛け合ってようやくまた入れてもらえたの。かなりひどい状況だから、ガッツリとお願いしますね」

　自分が店長になったからには万引きを見逃したくない、そんな気持ちがあるらしく、きょうはとことん付き合いますと、すでに鼻息を荒くしている。結果を出して当然と言わんばかりの圧力を感じながら事務所を出て、食品売り場に通じる階段を下りると、すぐ目の前でカゴの商品をバッグに移し替えている女性を発見した。いきなりのことに動揺しながらも、そっと身を隠して彼女の行動を見守れば、棚から取った商品をカゴに入れては死角通路でバッグに隠すという行為を繰り返している。


「あ、あの人もやってる！」


　その現認中に、七十代とおぼしきホームレス風の男性が弁当とカップ酒を競馬新聞に包んで出ていく一部始終を目撃した。女性よりも先に店を出たので、たまたま近くにいた店長と一緒に店の外で男性を呼び止めた。

「申し訳ない。競馬で負けちゃって、金がないんだ」

　暴れることなく素直に認めてくれたので、事務所への同行は店長に任せて、急いで店内に戻って女性の監視を続ける。二分ほど

「釣り堀」でつかまえた男

目を離していたが、商品を隠したバッグの形状に変化はなく、さらにいくつかの商品を隠匿するところも現認できた。なにひとつ買うことなく店の外に出た女が、出口脇に止めた自転車のカゴに盗品を詰めたバッグを入れたところで声をかける。

「店内保安です。そのバッグに入れた商品の代金、お支払いいただきたいのですが」

「はあ？　なんですか？　どれですか？」

「あんなにたくさん入れたのだから、私の口から言うまでもないでしょう？」

「すみません、ごめんなさい……」

抵抗むなしく犯行を認めた女を事務所に連れていくと、先ほどのホームレス風の男性が、テーブルに置いたカップ酒と弁当を前にうなだれていた。その横で腕を組んで男を見下ろす店長に、連れてきた女を引き渡す。

「まだ十分もたっていないのに、忙しいですね。まだ来るかもしれないし、ここは見ておきますから、警察官が来るまで巡回していてもらえますか？」

「わかりました。なにかあったら呼んでください」

捕捉の連発で興奮した気を静めるために店内をひと回りして不審者がいないか確認してから、店の外に出て、軽い休憩をとる。駐車場の一隅にある販売機でコーヒーを買い、喫煙所のベンチに座って店の出入りを眺めながら一服していると、妙な雰囲気をまとった中学生らしき二人組の男の子が目に留まった。盗む気満々といった顔つきで、見過ごせない状況だ。

「**こんな時間に珍しいな。学校は休みか？**」

すぐにタバコを消して後を追うと、いくつかの整髪料とドリンク、それにガムやチョコレートなどをポケットに隠した少年たちは、そのまま店の外に出ていった。後方から声をかけると同時に走りだして逃走を図ったが、前件の通報を受けて駅前交番から駆けつけた二人の警察官がタイミングよく現れて、あっけなく捕らえられた。

「さっき来たばかりなのに早すぎですよ。通報いただいたのは、こいつらのことですか？」

「いえ、これは新件で、あと二人、事務所にいます」

「エエーッ!?　もう、そんなことになっているんですか？」

「なぜか、たくさんいて……。すみません」

警察官と一緒に事務所に向かうと、先に捕らえた男女が盗んだ商品と自分の身分証明書を前に応接セットでうなだれていた。扉の前で見張りをしていた店長が、少年たちの姿を目にしたとたん、少し興奮ぎみにこう言った。

「この子たち、やっぱり、やっていましたか。毎日毎日、おかしな動きしていたもんなあ」

「なんだ、お前ら。いつも、やっていたのか？　おい」

処理しなければならない仕事が一気に増えて機嫌が悪くなったらしい警察官が、少年たちにすごんだ。なにも答えないままふてくされている少年たちをにらみつけながら、あきれた様子で無線のマイクを手にした警察官が応援を要請すると、六人ほどの警察官が集まってきた。一人ずつ警察署に送り、ピストン輸送で四人全員の引き渡しを終えて、本日前半の業務は終了。

万引き犯がまだまだいそうで、どうにも落ち着かないので、バックヤードにある従業員用休憩室で簡単に食事をすませて現場に戻ると、二十分ほど店内を歩いたところで大量のチョコレートをバッグに隠している女子高生を発見した。捕まえて店長に引き渡したが、また警察を呼んだら怒られるかもしれないと危惧し、保護者に連絡して引き取りにきてもらうことになった。

「こっちは大丈夫ですから、巡回を続けてください」

まだ満足していない様子の店長に女子高生の身柄を預けて店内の巡回を続けると、十五分ほど巡回したところで団子やまんじゅうなどを自分のカートに隠して出ていく八十代くらいの女性を見つけた。事務所に連れていき、盗んだチョコレートの山を前に泣き忍ぶ女子高生の隣に座らせて、被害品を出させたところで店長が言った。

「この子の親、まだこないんですよ。こっちのおばあちゃんは、お金ないみたいだけど、どうしよう？　このまま帰すわけにもいかないし」

結局、高齢女性のバッグについているネームプレートに名前が書いてある介護ヘルパーに連絡をとって、身柄を引き受けてもらうことにする。その決着を見届けてから店内に戻って間もなく、炭酸飲料のペットボトルを持ち去る男子中学生を見つけてしまい、またしても事務所に戻ることになった。

「もう座るところないから、駅前交番に連れていっちゃってください」

店長にそう言われ、泣きじゃくる男の子を連れて駅前交番に行くと、出勤時に挨拶を交わした警察官が不機嫌な顔を隠すことなく言い放った。

「警察は、あんただけのためにあるわけじゃないんだから、ちょっとは考えてやってくださいよ。

もうすぐ交代なのに、まったく……」

　その数日後、同じ現場に出勤すると、駅前交番の警察官が新人警察官を伴って店内を徘徊していた。なにを買うでもなく、ただ店内を歩き回っている様子だ。気にせずに巡回を始めて間もなく、私の姿を見つけた警察官がそばに寄ってきて言った。

「きょうは、何時までですか？」

「十八時までです」

「それでは私たちも、十八時まで警戒させていただきますね。犯罪は未然に防ぐのがいちばん大事で、それが私たちの使命ですから」

　その日は一日中、警察官に後をつけられ、誰ひとり捕捉することなく業務を終えることになった。摘発は最大の犯罪抑止。その言葉を胸に日々の業務を遂行しているのだが、やりすぎると警察に牽制されることにもなるのだ。

レジ袋有料化が生み出す歪んだ節約心

レジ袋泥棒

二〇二〇年七月にレジ袋が有料化されて以降、それに伴うトラブルや不正行為が頻発している。特に、客自身が精算手続きのすべてをおこなうフルセルフレジでの不正行為の発生率は顕著に高く、設置店舗で勤務に入れば必ず日に一度は目にする光景になった。まず最初にレジを通さなければならないはずの有料レジ袋を通すことなくセットし、そのまま持ち去っていく人が多いのだ。たった三円から五円くらいの話ではあるが、いままで無料で入手できたモノを買わなければならないとなると、どこか損をした気持ちになってしまうのだろう。毎回必ず買わなければならないのならその負担も確かに気になるが、エコバッグを持参すればすむ話なので同情はできない。ここでは、どうしてもレジ袋の代金を支払いたくない常連客との不毛な戦いについて話したい。

当日の現場は、関東近県の某駅前にあるショッピングセンターKだった。二〇二〇年に契約をした新しいクライアントで、いままでの傾向からすれば、おもに高齢者の犯行が目立つ現場だ。レジ袋が有料化されてから、S、M、Lと三種類のサイズに分かれたレジ袋専用の陳列棚をレジ手前に新設し、精算直前に棚から取れるようにした。

特に目立つ不審者を見つけられないまま勤務終盤を迎えた頃、入店直後にLサイズのレジ袋（五円）を手に取り、それをカゴに入れて買い物を始めた七十代とおぼしき女性が目についた。全身黒づくめの服装で、黒いチューリップハットを目深にかぶって大きく見開いた不気味な両目が印象的な、人好きのしない高齢女性だ。

［この人、大丈夫かな？］

自分の直感を信じて追尾していると、そのまま店の死角通路である雑貨売り場に向かった女性は、人けがないことを確認し、レジ袋をくしゃくしゃに丸めて自分のバッグに隠した。それから、野菜や刺し身、納豆、牛乳などをカゴに入れ、特に不審な様子を見せることなくレジに向かう。ソーシャルディスタンスをとって列に並び、自分の順番を迎えてレジ台にカゴを置いた女性に、レジ担当の店員が声をかけた。

「いらっしゃいませ。袋は、ありますか？」

「うん、持ってきたから大丈夫」

レジ前にあるガムを選ぶフリをしながら、その言葉をしっかりと聞き取った私は、その女性から目を離さないまま、たまたまそばで品出しをしていた店長に判断を仰いだ。

「あの方がLサイズのレジ袋を隠すところを見ましたけど、捕捉しますか？」

「あの人、よく見るお客さんだなあ。続くと困るから、優しく注意してもらえる？　きょうの分は、払ってもらわなくてもいいから」

　たった五円のこととはいえ、毎日やられてしまうのは困る。店長の気持ちを察した私は、その女性が精算を終えるのを待ち、未精算のレジ袋に商品を詰めて外に出たところで声をかけた。

「お客さん、こんにちは。お店の者です。実は、七月からレジ袋が有料になりまして……」

「知っていますよ。で、なんですか？」

「そちらの袋の代金を、お支払いいただけなかったので、お伝えしています。今回は……」

「はあ？　これは家から持ってきた袋よ。変な言いがかりつけないでよ」

　やんわりと注意しようと試みたものの、勝手に興奮してしまった相手は、周囲が振り返るほどの大声を出して否認した。こうなると、あとでなにを言われるかわからないので、白黒はっきりつけなければいけない。

「いいえ、全部見ていましたから。今回はいいですけど、次回からは、きちんとお支払いいただけますか？」

「ちょっと、あなた。毎日来ている客に向かって、その言い方は、なによ！　店長を呼びなさい」

　自分の行為を棚に上げて居直られたので、やむなく事務所に連れていき、店長に事情を説明する。すると、いまだ興奮冷めやらない女が、私の話の腰を折るようにまくし立てた。

「店長さん、この人ね、まるで私がレジ袋を盗ったみたいな言い方するのよ。私、長年通っているのに、ひどいじゃない」

「でも、お支払いいただいていないんですよね？」

「はあ？　これは持ってきた袋だって、さっきから言っているじゃないの！」

完全に居直られてしまい、どうにも話にならないため、業を煮やした店長は警察に通報することを決めた。

「事件です」

「なにが事件よ、いいかげんにしてよね！」

電話口で通報を始めた店長の言葉を聞いた女が、間髪入れずに突っ込む。警察官が到着するまで執拗に私たちを責め続けた女は、もし証拠がなくて立証できなかったらどうしてくれるんだと脅迫めいたことまで言いだした。ここまで言われてしまったら、こちらもどうにも黙っていられない。

「証拠があったときは、どうされます？」

「そんなもの、あるわけない」

どこまでも居直るつもりらしいので、怒りをこらえながら警察官の到着を待った。間もなく背の高い男性警察官と、とてもかわいらしい顔の女性警察官が現れた。俳優と見まがうほどすてきな二人を前に、刑事ドラマに出ているような気持ちで状況を説明する。

「盗んだのは、レジ袋だけですか？」

「はい。注意ですませようと声をかけたら、大騒ぎされてしまいまして……」

「被害額は、五円ってことですね。こんなに安いのは、初めてだなあ」

警察官から事情を聴かれても、家から持ってきたものだという主張を崩さなかった女は、証拠を見せろと、なぜか勝ち誇ったように繰り返している。まるで埒が明かないので、根負けした警察官は防犯カメラの映像を検証することに決め、その操作を店長に依頼した。顔を紅潮させ、明らかにイラついた様子でモニターをにらむ店長に、現認した時間と場所を伝えた。その結果、その女が袋を手に取る映像とレジ袋をバッグに隠している映像を見事に発見できた。そのすべてが鮮明に記録されていたため、それを見せられた本人は言葉を失い、怒りと恥ずかしさが交ざったような顔でわなわなと体を震わせている。

「おばあちゃん、家から持ってきた袋じゃなかったね」

「……ちょっと勘違いしていたみたい。ちゃんと払います」

警察官の問いかけにようやく行為を認めた女だったが、謝罪の言葉が一つも出てこない。ずっと怒りをこらえていたらしい店長が、我慢しきれずに言い放った。

「払いますの前に、なにか言うことあるんじゃないですか？　この忙しいときに、こんなに大騒ぎしといて、勘違いですまされないよ」

「いつも来ているんだから、そんな言い方しないでよ」

「いや、もう来ていただかなくて結構。いや、二度と来ないでください。出入り禁止です！」

「こんな年寄りをイジめて、楽しいかい？　まったく、ひどい店だよ」

口げんかになり、いっそう感情的になった店長が、被害届も出してやろうかと言い始めた。たった五円のこととはいえ、被害申告されれば、警察も扱わないわけにはいかない。それを聞いた警察官たちは、明らかに困惑した様子で、店長を落ち着かせるべくなだめにかかった。

「金額が金額なので、警察に一任してもらえませんか？　厳しく注意しますから、きょうのところは、お願いしますよ」

あまりに小さな事件のため、本音を言えば扱いたくないのだろう。店に謝罪するよう、女性警察官が十五分ほどかけて説得した結果、女性はようやく頭を下げた。素直に認めればすぐに終わった話なのに、墓穴を掘るとは、まさにこういうことを言うのだろう。謝罪の言葉を受けて落ち着きを取り戻したらしい店長が、冷静な口調で女に尋ねる。

「袋だけ、どうして買ってくれなかったんですか？」

「バッグを忘れてきちゃったけど、袋にお金をつかうのはいやだったのよ」

「お金は、あるんですよね？」

「うん、五万くらいある」

塵も積もれば山となる。昔から節約意識の高い国民性も、レジ袋の支払いをケチる心理につながっているのだろうか。声をかけてから事態が収束するまで、およそ二時間かかった。たった五円のレジ袋一枚のために残業になり、大人四人が費やした時間や経費がもったいなくて、女の腹黒さを恨めしく思いながら帰宅を急いだ。

エコバッグ泥棒

レジ袋の有料化に伴ってその代用品としてさまざまなタイプのエコバッグも販売され、もはや手ぶらで買い物にくる人のほうが珍しい状況になった。エコバッグを持参することで魔が差す機会も増えてしまうものらしい。最近は、商品をポケットに隠す人よりも、持ち込んだエコバッグに隠す人が目立つ。犯行に用いるバッグの大きさに比例してブツ量（被害品の量）は増し、逮捕に至る確率は高まる。捕まえてみると、大量に盗む人ほど、なにひとつ買っていない場合が多く、泥棒特有の厚かましさを痛感する機会も増えている。

当日の現場は大型ショッピングセンターMだった。地下一階、地上五階の一棟ビルが丸ごと巡回対象の大型店舗で、長年にわたって何度も入っている店の一つだ。そのため所轄警察署で勤務する警察官にも顔見知りが多く、この店で巡回するときには駅前交番に先に顔を出して、挨拶をしてから現場に入ることにしている。この日は、何度も会っている班長が交番の外に立っていて、目が合うと同時に声をかけられた。往年の名優・下川辰平さんに似た気さくな警察官で、とても親しみやすい雰囲気の持ち主だ。

「えー!?　きょう入っているの？　まいったなあ。何時まで？」

「十二時から二十時までです。そんなにいやな顔しないでくださいよ」

「いやではないですよ。でも、交代する四時前後の通報は、できるだけ避けてもらいたいねえ。きょうは、孫の誕生日会があるもんでさ。ご協力、お願いしますよ」

恥ずかしげに照れ笑いしながら話す班長の姿は、孫にデレデレのおじいちゃんにしか見えない。冗談半分ではあるが、残り半分は本気のようで、孫との時間をじゃまされたくないという気持ちが伝わってきた。

「それは、おめでとうございます。こんな仕事なので、お約束はできませんけど、なるべく気をつけますね」

「なんとかお願いしますよ。去年も、万引きで行けなかったからさ……」

「そうだったんですか。なんだか申し訳ない」

「いえいえ。でも、きょうだけは、再会したくないですね。お気をつけて」

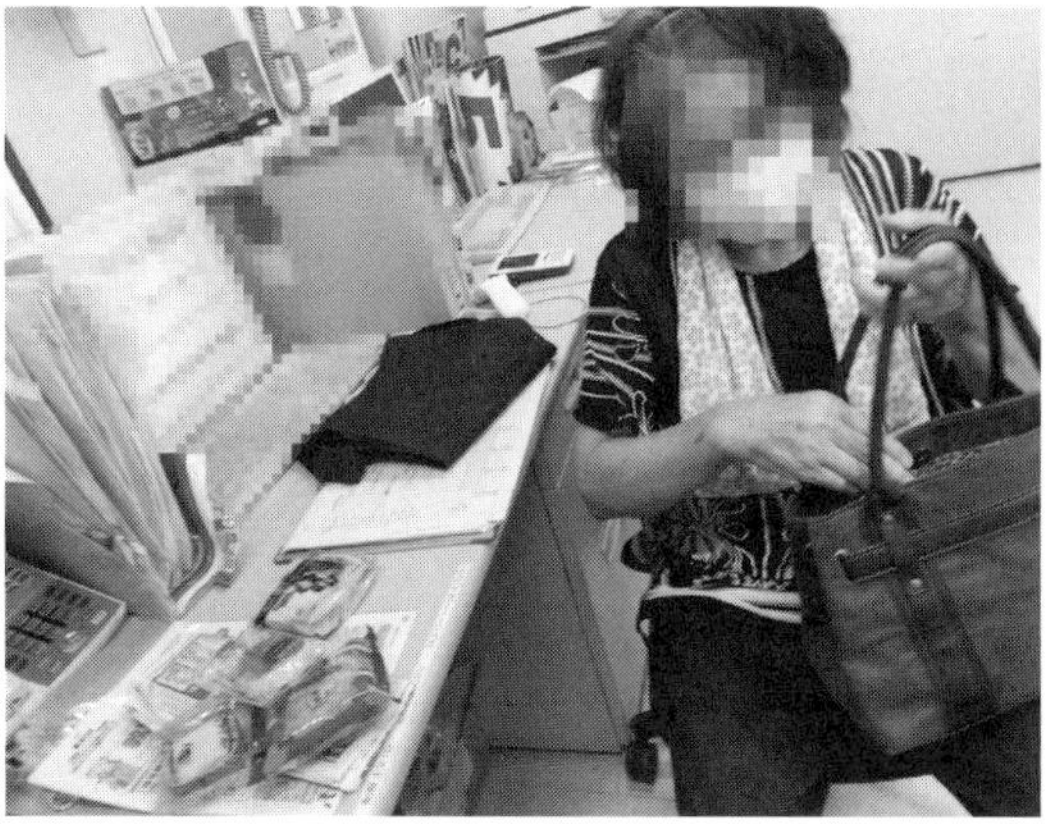

エコバッグに隠した商品を取り出す万引き犯

班長と別れて現場に入っていつものように巡回を始めて間もなく、地下一階の食品売り場のレジのほうから大きな怒鳴り声が聞こえてきた。なにごとかと気になって駆けつけると、仮面ライダーに出てくる死神博士に似た雰囲気をもつ白髪の老人が、レジ担当の女性店員を怒鳴りつけている。

「袋の金まで取るのか？　そんなの、おかしいだろ！」

どうやらレジ袋が有料化（一枚あたり三円から五円）されたことに納得がいかず、女性店員を恫喝しているようで、すぐにマネージャーも駆けつけた。保安員として遠巻きに見守っていると、マネージャーの説明にも納得できない様子の男性は、顎を上下させながら怒鳴り続けて一人の従業員を困惑させている。

「じゃあ、これ全部いらねえから、金返してくれ。もう二度と買いにこねえからな」

レジ袋の代金を、よほど払いたくないのだろう。一度支払いをすませた分の返金を受けた男は、マネージャーをにらみつけながら捨て台詞を吐くと、肩で風を切るようにして外に出ていった。客の立場を履き違えたクレーマーと呼ぶべき粗暴な振る舞いは、見ていて気持ちがいいものではない。男の背中を見送ったあと、外でひと息ついてから、巡回を再開する。

「あれ？　あのじいさん、またきてる」

それから二時間ほど経過したところで、正面口から堂々と入ってくる男の姿があった。舌の根も乾かぬうちの再来店に驚きながらその動向を見守っていると、入り口脇にあるエコバッグの特設売り場に入っていく。

「あきらめて、エコバッグを買うことにしたのかな」

そんな思いで注視していると、カゴにはまるタイプのエコバッグを棚から手に取った男は、レジに寄ることなく地下の食品売り場に続く下りエスカレーターに乗り込んだ。この店の精算方式は各階精算が基本で、ポスターの掲示や店内放送でも繰り返しそのように案内しているが、気にも留めていないようだ。エスカレーターを降りて、カートにカゴを置いた男は、慣れぬ手つきでカゴにエコバッグをはめると、何食わぬ顔で店内を歩き始めた。そのまま追尾していると、まだ精算をすませていないエコバッグに遠慮なく商品を詰めていく。

「最後にまとめて精算するつもりなのかな？」

野菜、生鮮食品、菓子、総菜、酒などの売り場を巡り、多くの商品をエコバッグに入れた男は、混雑するレジをすり抜けてサッカー台（客が買った商品を袋に詰めるための台）に直行した。エコバッグの開口部を素早く紐で締めて、それを肩にかけると、いそいそと上りエスカレーターに乗り込んだ。そして、エスカレーターに乗りながら、ジャージのポケットからライターを取り出し、エコバッグに付いたままだった値札のループを焼き切って、手際よく値札をはずした。捨てられた値札を拾い、男が店の外に出たところで声をかける。

「店内保安です。これ全部、お支払いいただかないと」

「ああ？　あんた、なんだよ？　ほっといてくれ」

「そういうわけにはいきませんよ」

「うるせえな、離せ！」

大声を上げて逃げようとする男の右腕を、逃がさないよう左脇に挟んでもみ合っていると、差し込んだ左腕に爪を立てられた。攻撃を避けるべく体を回転させた瞬間、不意をつかれたらしい男が、仰向けに転倒。これ幸いと、男の肩にかかったままのエコバッグを膝で押さえて地面に押し付けるようにした私は、相手の動きを封じながらスマートフォンを取り出した。

「この野郎、離せ。てめえ、ぶっ殺すぞ」

「いま警察呼びますから、ちょっと待ってて」

「なんでだよ？　いいから、早く離せ」

仰向けのままつかみかかってくるので、通報することもできずに右往左往していると、誰かが通報してくれたのか、先ほどの班長が若い警察官と一緒に駆けつけた。

「お騒がせしてすみません。この人、これ全部払っていないんです」

「ケガはしてない？　あんたのことだから大丈夫だろうけど、盗んだのは間違いないね？」

「両方とも大丈夫です」

警察官に大声を出していた男だったが、身柄を若い警察官に預けられたとたんにおとなしくなった。班長に現認状況を説明しながら総合事務所に向かい、館内放送で店長を呼んで被害を特定する。

この日の被害は計二十三点、合計八千円ほどだった。

男の所持金は、三千円足らずで、すべての商品を買い取ることはできない。近くのコーポで一人暮らしをしているそうで、身寄りはなく、商品代金を立て替えてくれる人もいないというので、犯歴次第では逮捕もありうる状況といえる。盗んだ理由を聞いても、マネージャーに話してあるから大丈夫なんだと、意味不明なことを真剣な表情で話し続けるばかりだ。

「きょうだけは再会したくない」

さっき聞いた班長の言葉を思い出して、ちらりと時計に目をやると、すでに十五時を少し回っていた。このまま被害届が出されれば相当の時間がかかるにちがいなく、今後の展開が気にかかる。

「班長、ごめんなさい」

「なんで謝るの？　ケガがなくて、なによりでしたよ」

「お時間は、大丈夫ですか？　これ、長くなっちゃいますかね？」

「それは、どうだろう。このじいさんの犯歴次第だよね」

犯歴照会をしたところ多数の前科が判明したようだったが、同時に男が認知症であるという情報も入ったそうで、今回は立件することなく厳重注意ですませることになった。そんなことまでわかるのかと班長に尋ねると、少し前にも警察の世話になっていたらしく、そのときに得られた情報だという。

「またやっても、同じ結果になるんですか?」

「善悪の判断がつかないって診断が出ちゃっていると、なかなか難しいよね。最近、多いんだよ。こういう人……」

「でも、早く終わってよかった。危うく班長に恨まれるところでしたよ」

「お気遣い、ありがとうございます。正直、ホッとしました」

班長が事務所から男を連れ出すと、間もなく警察無線の着信音が鳴り響いた。無線から、軍人の伝令に似た名調子が漏れ聞こえてくる。

「至急、至急……」

「また万引きか。まいったな……」

すぐ近くの店での新事件発生の一報を受けた班長は、苦笑いを浮かべてつぶやくと、明らかに重い足取りで男を連行していった。

カゴパク

近頃の現場は食品スーパーばかりだったが、久しぶりにホームセンターでの勤務があった。個人的な好みを言えば、ホームセンターは嫌いな部類の現場といえる。これは書店やドラッグストア、洋服店などにも言えることだが、食品スーパーと比べて一日の来店者数が少なく、捕捉率が低いことが大きな理由だ。日祝日ならまだしも、平日となれば客足はまばらで、人がいない広大な売り場で不審者を求めてさまようことになる。その時間が長く、とても退屈で、つらいのである。

しかしながら、ホームセンターの被害は、取り扱い商品の幅広さから大量で高額になりやすく、捕捉があれば逮捕に至る確率は高い。車で来店する者が多く、集団で犯行に及ぶケースも珍しくないため、受傷事故の発生率が高いことも特徴といえるだろう。過去には、車に乗り込んだ被疑者を捕捉するべく運転席のドアノブに手をかけた保安員が、そのまま引きずられて中指と人さし指の一部を欠損したこともあった。粗暴で犯罪慣れした被疑者と遭遇する機会が多いため、成果があったときの満足感は得られるが、危険度も高い。

ここでは、関東圏の大型ホームセンターで捕らえた高額万引き犯について記す。当日の現場は、ホームセンターHだった。ねじ一本からペットまで、ありとあらゆる商品を取り扱う郊外型の巨大店舗だ。挨拶のため事務所に入ると、四十代前半くらいの店長が無愛想ながらもうれしそうに出迎えてくれた。

「高額品を中心に見てください。それと、レジ袋が有料になってからカゴの持ち去りが増えているので、もし見つけたら教えてもらえますか？」

「わかりました。カゴを持っていかれた場合、どう対応されますか？」

「捕まえるわけにはいかないから、やんわりと注意して返してもらう感じかなあ」

店内カゴの私物化、いわゆるカゴパクは以前から見かける事象ではあるが、レジ袋有料化以降に全国的に急増していて、どの店も対応に苦慮している。つい先日も、独立系の食品スーパーで、カゴを戻さず自家用車に持ち込んだ初老の客とスーパーのオーナー兼店長が駐車場内でトラブルになり、一般客を装って仲裁したばかりだ。

「お客さん、カゴごと持っていかれたら困るんですけど。ちゃんと戻してもらえますか？」

「次、来たときに返すよ。カゴぐらい、いいじゃないか」

「全然よくないですよ。それはウチのものですから、持っていかれたら困ります」

「なんだと！　客を泥棒扱いしやがって、この野郎！」

初老の客は店長につかみかかる勢いで詰め寄ったが、たまたま見ていた私が間に入ると、店長に向けてカゴを放り投げて車に乗り込んだ。新型コロナウイルス発生以降、小さな間違いや当たり前のことを他人に指摘されて、むやみに大声を出したり、乱暴な態度をとってしまったりする人が増えているように感じるのは気のせいだろうか。いわゆる迷惑客は、店側があいまいな態度をとるとさまざまな口実でつけこんでくるので、慎重に対応する必要がある。あっけにとられる店長を車内からにらみながら、ものすごい勢いで走り去った初老の客の表情を見れば、まるで反省していない感じだった。そのときの状況をホームセンターの店長に伝えて、カゴパク発見時の対応を決めてくれるよう促す。

「そんなヤツもいるんだ。とんでもねえなあ。警察を呼ぶのも、ちょっと違う気がするしねえ」

「声のかけ方が、難しいですよね。きちんと警察が扱ってくれるかも微妙ですし……」

「わかりました。そのときは、相手を見て判断します」

挨拶を終えて店内の巡回を始めると、客足は常にまばらで、業務終盤まで大過なく過ごせた。不審者など一人もおらず、こんな日は自分の存在が無駄に感じられて、人けがない店内で不審者を探し求めることが滑稽に思えてくる。業務終了まで、あと三十分。まるで客足が伸びず、見るべき対象がいない状況にいやけが差した私は、暇つぶしを兼ねてペットコーナーに潜んで、そこから客の出入りをチェックすることにした。

かわいい動物たちと出入り口を交互に見るようにしてゆったりと警戒していると、五十代とおぼしき作業着姿の男が入ってきた。どことなく違和感があるので動向を見守ると、カートにカゴを載せた男は、周囲を威圧するような歩き方で工具コーナーへと向かっていく。

「あんなにたくさん……」

男は売り場に着くと、電動工具セットを三セットもカゴに入れ、続けてラチェットやドライバー、計測器など、比較的高価な商品を吟味することなく次々とカゴに放り込んだ。それから、出口脇にあるカー用品コーナーに立ち寄って、三万円近い値札の自動車用バッテリーを棚から下ろしてカートの下段に載せ、自身のベルトにかけた黒いポシェットから工具を一つ取り出した。その工具で手際よく防犯タグを除去した男は、証拠を隠滅するためなのかそれを棚の下に蹴り入れて、すぐにその場を離れていく。捕まらない手口を考えてきたとしか思えない動きを見れば、犯罪慣れしている者としか思えず、恐怖心が膨らんだ。

出口前でちらりと後方をうかがい、ほぼ駆け足で防犯ゲートを突破した男は、店外に出て駐車場に止めた軽ワゴンのトランクを開いた。カート上にあるカゴに続けて、車内にバッテリーを積もうと男がしゃがんだところで、深呼吸してから声をかける。

「あの、お客さま？　こちらの代金、まだお支払いいただけてないようですが、どうするおつもりですか？」

「……ごめん、申し訳ない」

「わかっているとは思いますけど。ごめんですむ話じゃないので、それを持って事務所まで来てもらえます？」

しゃがんだまま私の顔をにらみつけた男は、いまにも暴れそうな雰囲気で立ち上がった。そして、あふれる怒りをこらえるような表情でトランクに入れたカゴをカートに戻すと、見るからにふてくされた顔で立ち尽くしている。ここで異変を察知した店長が、明らかな戦闘モードで駐車場に駆けつけた。簡単に状況を説明したところ、ほかになにか隠していないかとトランクをのぞき込んだ店長が、振り返ると同時に怒鳴った。

「ちょっと、あんた。このカゴも、ウチのじゃねえかよ。これも、返してくれよ」

トランクをのぞき込めば、この店の名前が入ったカゴが無造作に置いてあって、そのなかには工具やテープ、安全ベルトなどが整頓された状態で入れられている。

「いや、これは現場で使っているやつだから、ちょっと困る」

「は？　あんた、自分の言ってること、わかってる？　こりゃ、警察だな」

結局、その場で警察を呼ばれた男は、手口が悪質で被害額が大きいことから、基本送致されることになった。本来ならば逮捕されるべき事案と思われるが、意外にも初犯だったことと、コロナ禍で警察の人員不足が影響したようだ。

この日、すべての手続きを終えて警察署を出たのは午前二時過ぎ。自宅まで送ってもらえる雰囲気ではないので、仕方なくインターネットカフェで時間をつぶして、始発を待って帰宅する。疲労困憊の状態で自宅マンションに戻ると、早朝から近くの部屋で原状回復工事があるらしく業者が出入りしていて、これから安眠できるか思いやられた。

［あ……］

原状回復工事にかかる部屋の前を通りかかると、複数の工具が入った有名チェーンストアのカゴが置いてあり、ひと言言ってやりたい気持ちになった。

コロナ禍のなかの万引き

コロナ対策万引き

新型コロナウイルスが問題になった当初、明らかに転売目的とおぼしき人たちや、不安をあおるデマを信じた人たちによる買い占め行為が横行し、マスクや消毒用アルコール、おむつやペーパー類などの家庭用紙製品が商品棚から消えた。安倍晋三首相（当時）が全国の小・中・高校を休校するように要請した翌日には、米やパスタ、缶詰、インスタントラーメンなど、保存性の高い食品が買い占められた。自分さえよければいいのか、一人一点限りのルールを無視して多数の同一商品をレジに持ち込んでゴネる客や、目的の商品が欠品状態であることを知って店員に悪態をついてつかみかかったり、腹いせに棚を蹴飛ばして警察に引き渡されたりする迷惑客もいた。人は、危機を迎えると自分のことしか考えなくなってしまう生き物なのだろうか。

いつもとは違う殺伐とした店内の雰囲気に、人類滅亡前夜のような雰囲気を感じて、私はどこか落ち着かない気持ちで巡回にあたっていた。こうした混乱に乗じて万引き行為に至る不届き者も珍しくないからだ。多くの客が大量の商品をカートに載せているので、それに紛れて堂々とカゴヌケ（カゴに入れた商品の精算をしないまま外に出ていく手口）する者や、人混みを利用して衣服やバッグに商品を隠匿する者などが必ず現れる。東日本大震災発生のさなか、大きな揺れにもひるまずに自分のバッグに商品を隠し続けてそのまま外に出ていこうとした高齢女性を捕まえた。ところが震災発生直後の混乱から店の人はおろか警察にまで相手にされず、商品代金を支払うことで、おとがめなく解放されたことを思い出す。せっかくの成果も、挙げるタイミングを間違えてしまえば、いやな顔をされるだけで評価されないものなのだ。

当日の現場は、昔ながらのスタイルで営業を続けるディスカウントストアKだった。地元民に愛される地域密着型の大型店で、長年にわたって付き合っているクライアントだ。入店の挨拶をすませて店内の状況を見て回ると、この先マスクが不足するという報道に接したらしい多くの人たちが複数のマスクをカゴに入れていた。同一商品を大量に棚取り（棚から商品を取る）するのは、万引き犯に見られる代表的な挙動の一つだ。しかも高性能マスクは、意外と高額で被害に遭いやすい商品なので、それを複数取りしている全員が不審者に見えてくる。勝手なことを言えば、買い占め行為から出るやましさは、万引きする人が発する悪気とよく似ているのだ。

［**しっかり見極めないと……**］

店内は、平日にもかかわらず、買い占め目的の客で大混雑だ。人混みに紛れながら、不審者の見極めをおこなっていると、しばらくして妙な中年女性が目に留まった。つばがついたスポーツキャップを目深にかぶったうえに、トンボの目の形の大きなサングラスをかけている。そのうえにマスクをつけているため、まるで表情はうかがえず年齢はわからないが、服装や身の回りの物などから判断すると三十歳くらいにも思える。その容姿はもちろん、肩にかけた量販店のロゴが入った大きなトートバッグと、カートに載せられた精算ずみカゴが不審に思えてならない。

［**どう見ても怪しすぎる**］

人混みをかき分けながら不自然なほどの早足でドラッグコーナーに入っていく彼女の後を追うと、日本製の高級マスクを次々とカゴに入れている。身を隠しながらも目を離さずに棚取りの状況を確認していると、続けて箱入りのマスクを手に取って合わせて五箱（一箱三十枚入り）をカート上のカゴに入れた。まだ販売制限はかかっていない頃のことで、大量購入自体に問題はないが、しきりと後方を振り返りながら売り場を離れていく姿が気になる。すると、屋上駐車場に通じるエレベーター前で足を止めた女性が、カゴにある商品をトートバッグに詰め替え始めた。この先にレジはなく、トートバッグのボタンをはめたところを見れば精算するつもりはないようだ。

すべての商品をトートバッグに隠し終えた女が、エレベーターに乗り込んだので、閉じかけた扉を開いて駆け込むように同乗する。少し警戒されたが、かまうことなく閉ボタンを押して、操作盤の前に陣取って到着を待った。これから捕まえることになる人と、二人きりでエレベーターに乗ったときには、お互いの鼓動が聞こえてくるような気がして不思議だ。

「どうぞ」

開ボタンを押して先を譲ると、女は会釈ひとつすることなく私の前を通り過ぎて、駆け足に近い早足でカートを走らせた。出入り口脇に止めた黒い軽自動車の脇にカートをつけ、大量のマスクを隠したトートバッグを後部座席に置いたところで、そっと声をかける。

「店の者です。そのバッグに入れたマスクの代金、お支払いいただけますか？」

「え？　払いましたけど……」

「では、レシートを拝見できますか？」

「いらないから捨てちゃいました」

買っていないのだから、レシートを捨てることなどできるはずもないのだが、女は顔色ひとつ変えずに堂々と嘘をついた。平気で嘘をつく人と遭遇するたびに人間が信じられなくなってくるのは、誰にも共通の気持ちだろう。イラつく気持ちをこらえてレシートをどこに捨てたのか問えば、忘れたと答え、事務所への同行を促せば、行く理由がないと拒絶する始末だ。数分間にわたってやんわりと説得するも否認を続けて、埒が明かない。仕方なく警察を呼ぼうとスマホを取り出すと、とたんに動揺しはじめた女が、端末を操作する私の手を押さえて静かに言った。

「ごめんなさい。払いますので、警察だけは許してください」

ようやく犯行を認めてくれたので、車に積んだトートバッグをもういちど女に持たせて、事務所まで連行する。安っぽい応接セットに座らせ、トートバッグに隠した商品をテーブルの上に出させると、目撃したマスクのほかに、黒ニンニク（三千四百八十円）が二袋出てきた。除菌用のアルコールティッシュを片手に、自分の周辺を拭きまくっている女に、盗んだ理由を尋ねてみる。

「こんなにたくさん、どうするつもりで？」

「自分で使うためです。毎日使うものだからストックしておきたくて……」

「黒ニンニクは？　お好きなの？」

「いえ、ウイルスが恐いから、免疫力を上げようかと……」

身分を確認するために免許証を見せてもらうと、女は三十二歳。ここから車で十分ほどのところに母親と二人で暮らしていると話した。所持金を聞けば三万円ほど持っているようなので、生活苦というわけでもなさそうだ。

「お金あるのに、どうして払わなかったんですか？」

「新しい空気清浄器を買ったりしたから、これ以上、ウイルス対策にお金を使うのがいやになっちゃって……」

「コロナウイルス、確かに怖いですよね」

「はい。外に出るのも怖いくらいで、いまここにいるのもつらいです」

報告を受けて駆けつけた店長に謝罪をするため、帽子とマスク、それにサングラスを外すよう彼女に促すと、病的なほど白い肌があらわになった。とてもきれいな人にちがいないのだが、生気にあふれた免許証の写真と比べてみれば、かなり憔悴しているように見える。

「このたびは、申し訳ありませんでした。お支払いいたしますので、どうかお許しください」

店長に対して早口で謝罪した彼女は、言葉を言い終えると同時にマスクとサングラスを装着しなおした。その態度が気に入らなかったのか、あっけにとられた様子の店長は、しばし沈黙したあとで、結局警察を呼んだ。被疑者が女性であるため、男女二人の警察官コンビが現場に駆けつけ、すぐに彼女の犯歴照会をおこなった。

「あんた、弁当持ち（執行猶予中）じゃないか。バカなことしたなあ」

犯歴照会の結果を受けた巡査部長が、執行猶予中であることを知ってあきれた顔で彼女に言った。その脇では、新人らしい若々しい女性警察官が、慣れぬ手つきでホルダーから手錠を取り出している。

「十四時三十六分、あなたを窃盗の現行犯で逮捕します。両手を出してください」

「はあ？　困ります！　逮捕なんてされたら、あたし生きていけない！」

「話はあとで聞きますから。早く両手を出して！」

「いやよ！　あんな汚いところ、もう行きたくない！　離して！」

さまざまなもので顔面を隠したまま、二人の警察官を相手に暴れた彼女は、間もなく取り押さえられて手錠をはめられた。

「あんたのこと、一生恨んでやるから！」

事務所から出ていく際に鬼気迫る顔で吐かれた暴言は、いまも耳に残っている。

その後、警察署に調書の作成におもむくと、担当の警察官がつぶやくように言った。

「あの人、ファッション雑誌のモデルなんだってさ。そんな人でも、万引きすることあるんだね」

人は見かけによらないものだとあらためて実感しながら、雑誌に載る彼女の笑顔を想像してみる。しかし脳裏に浮かぶのは、怒り狂う女狐のような顔ばかりで、無理だった。

コロナ失業万引き

新型コロナウイルスまん延防止に基づく緊急事態宣言が発令されて以降、被疑者と遭遇しない日は珍しくなり、現場に出れば捕捉がある日々が続いている。事務所で話を聞けば、新型コロナウイルスの影響で失業したと話す被疑者が目立ち、会社の寮を追い出されてホームレス状態になっている人もいた。まだ若くて働き盛りといえる人たちが、職はおろか寝床まで失い、さらには食うに困って万引きしてしまい、警察の世話になる。そんな現実が重く、自分になにかできることはないかと日々考えさせられている状況だ。その一方、少しでも得をしたいと考えるいやしい心情による犯行は相変わらず頻発していて、あまりの図々しさにあきれることも多い。

当日の現場は、関東郊外のベッドタウンに位置するスーパーマーケットAだった。郊外店舗によくある、やたらに広い売り場と広大な駐車場を有する店舗で、古くから付き合いがあるなじみ深い現場だ。周辺にライバル店がないため、立地のわりに来客が絶えない人気店になっていて、この日も梅雨空にかかわらず多くの客が来店していた。ここのように客が多い店では、入店の様子をチェックして不審者を割り出し、その行動を見守るのが常套手段だ。この日も、メインの入り口が見渡せる位置に陣取ってアンテナを張り巡らせていると、入店と同時に、カートに載せたカゴの上に大きな袋を広げた女性が目に留まった。貧しく不幸な役を演じる女優のような、どんよりとした雰囲気をもつ四十代とおぼしき女だ。

様子を見ていると、レタス売り場に直行した女は、備え付けのポリ袋のロールから袋を一枚ずつ切り取ってカゴに放り込んだ。そして、最後に手にした一枚を大きく広げ、ポリバケツに捨ててあるキャベツの外葉を、詰め放題チャレンジをやっているような勢いで詰め始めた。人着（被疑者の特徴や服装）を覚えるために容姿の細部を確認すると、昭和感漂う茶系のジャケットは秋冬物で、現在の季節に合っていない。一つに結んだポニーテールは、汗をかいているためなのか脂気が強く、なかなかの不潔感が漂っている。髪を束ねるゴムにも毛玉があふれていて、使い古された感じが伝わってきた。

［**まだ若いけど、ホームレスなのか？**］

キャベツの外葉を詰め終えた女性は、そのビニール袋を持参の袋に入れるとしばらく歩き、次に精肉売り場で足を止めた。そこでいくつかの牛脂をわしづかみにしてまたポリ袋に詰めると自分の袋に投げ入れて、総菜売り場へと向かって歩いていく。そこでは備え付けの醤油とわさびを、同じようにポリ袋に詰めて自分の袋に入れた。女は、次に商品であるサラダや総菜、おにぎり、サンドイッチ、菓子パン、弁当などを手にして、それも一つずつポリ袋に入れてから自分の袋に隠した。いわば堂々とエコバッグに商品を隠している状況で、あまりの大胆さにわが目を疑う気持ちになった。持参の袋が大きく膨らむまで詰め込んで満足したらしい女は、わざわざサッカー台に立ち寄って財布を取り出し、あたかも精算をすませたといった演技を披露してみせた。最後に、サッカー台に備え付けてあるポリ袋のロールを設置台から丸ごと抜き取って自分の袋に入れ、出入り口に設置されたアルコールをたっぷりと手に振りかけてから外に出た。どうやら、無料で使えるものは、余分に利用しなければ気がすまない人らしい。つけすぎたアルコールを振り払いながら、平然と店を出ていく女の後方から、そっと声をかける。

「こんにちは、店の者です。そのバッグのなか、全部お支払いいただかないと……」

「いえ、違うんです。いま、財布を取りに出ただけで……」

女の手元を見れば、手垢で薄汚れた薄いピンクの折り畳み財布をしっかりと握っている。

「お財布は手にお持ちのようだけど、どちらまで取りにいかれます？」

「あ、いえ、そうじゃなくて、銀行に行こうかと……」

しどろもどろになった女の袖口をつかんで、否認するなら警察を呼ぶと伝えると、とたんに狼狽した女は財布から一万円札を取り出して私に押し付けた。

「お釣りはいらないので、これで許してください！　次はないって、こないだ言われたばかりなんです！」

「ちょっと前にも捕まったってこと？」

「はい！　だから本当に困るんです。これで許してください！」

　虚実が交錯する話にウンザリさせられながらも、支払いと謝罪は店長にするよう伝える。爪先を立てて抵抗する女の背中を強めに押して事務所まで連行し、パイプ椅子に座らせて盗んだ商品を出させると、計十一点、合計二千六百円ほどの商品が出てきた。身分を確認すると、小さな会社の事務員だという彼女は四十二歳で、この店の近くに両親と弟との家族四人で暮らしているという。店長に報告するため、被害にはならないキャベツの外葉やポリ袋、醤油、わさび、牛脂なども出させると、その量に驚いた店長が顔色を変えて言った。

「これは、ひどいな。なにも買ってないみたいだし、なにしに来たの？」

「ごめんなさい！　もうしませんし、二度と来ませんから、これで許してください」

「ポリ袋は、なにに使うの？　こんなにたくさん、使い道ないでしょ？　これだって、安くないんだよ。お店はね、あんたと違って、全部お金払って仕入れているの。わかる？」

「ごめんなさい、レジ袋の代わりに使おうと思っていました。これで許してください！　お釣りはいりませんから！」

　その場に土下座して両手で一万円札を献上する女を一瞥した店長は、すぐに警察を呼んだ。到着した警察官が犯歴照会をかけると、女は直近で扱いがあったことが判明した。警察官がその結果を所轄警察署の幹部室に電話で知らせて、女の扱いをどうするか上席と相談しはじめた。

「きょうは三階になっちゃいますけど、お付き合いいただけますよね？」

所轄警察署の三階は刑事課だ。すなわち、女が逮捕されることを意味していて、私にも警察署への同行を暗に求めているわけだ。逮捕手続きには相当な時間がかかるが、店が被害届を出す以上は警察に協力しないわけにはいかない。

「はい、大丈夫です。それも仕事ですので」

「では、実況見分からお願いします」

商品の位置や私が見ていた場所の確認など店内で実況見分を進めていると、そのさなかに二キロの米袋を手にした四十代とおぼしき男性が目についた。気になってそのまま見ていると、その米袋をバッグに隠して出口に向かっていくので、そばにいた警察官に報告する。

「あの人、米をバッグに隠していましたけど、どうします?」

「なんだって!?」

外に出ようとする男を呼び止めた警察官がバッグの中身を強制的に確認すると、当然米が出てきた。警察官に腰元をつかまれながら、事務所に連れていかれた男は四十二歳で、所持金は二千円ほど。アパートで一人暮らしをしているそうで、商品代金を立て替えてくれる人や迎えにきてくれる人はいないと話している。班長に盗んだ理由を尋ねられた男は、切羽詰まった顔で言った。

「派遣社員をやっていたんですけど、コロナで仕事がなくなって切られちゃって……。とりあえず米だけあれば生きていけるかなって思ったんです」

最近は、コロナ不況やレジ袋の有料化に関係する事案が増え、普段は万引きしないような人が万引きせずにいられない状況に陥っている事案が目立つ。彼の境遇に同情したらしい店長は、警察官から初犯だと聞いたこともあっていったんは被害届を出さないことに決めた。しかし、警察官が声をかけた以上、事件化しないといけないということになり、事態は一転した。結局、その夜は二件分の書類を作成して、深夜すぎの帰宅になった。

「この人、おれと同い年ですよ。コロナさえなければ、こんなふうになってないでしょうに」

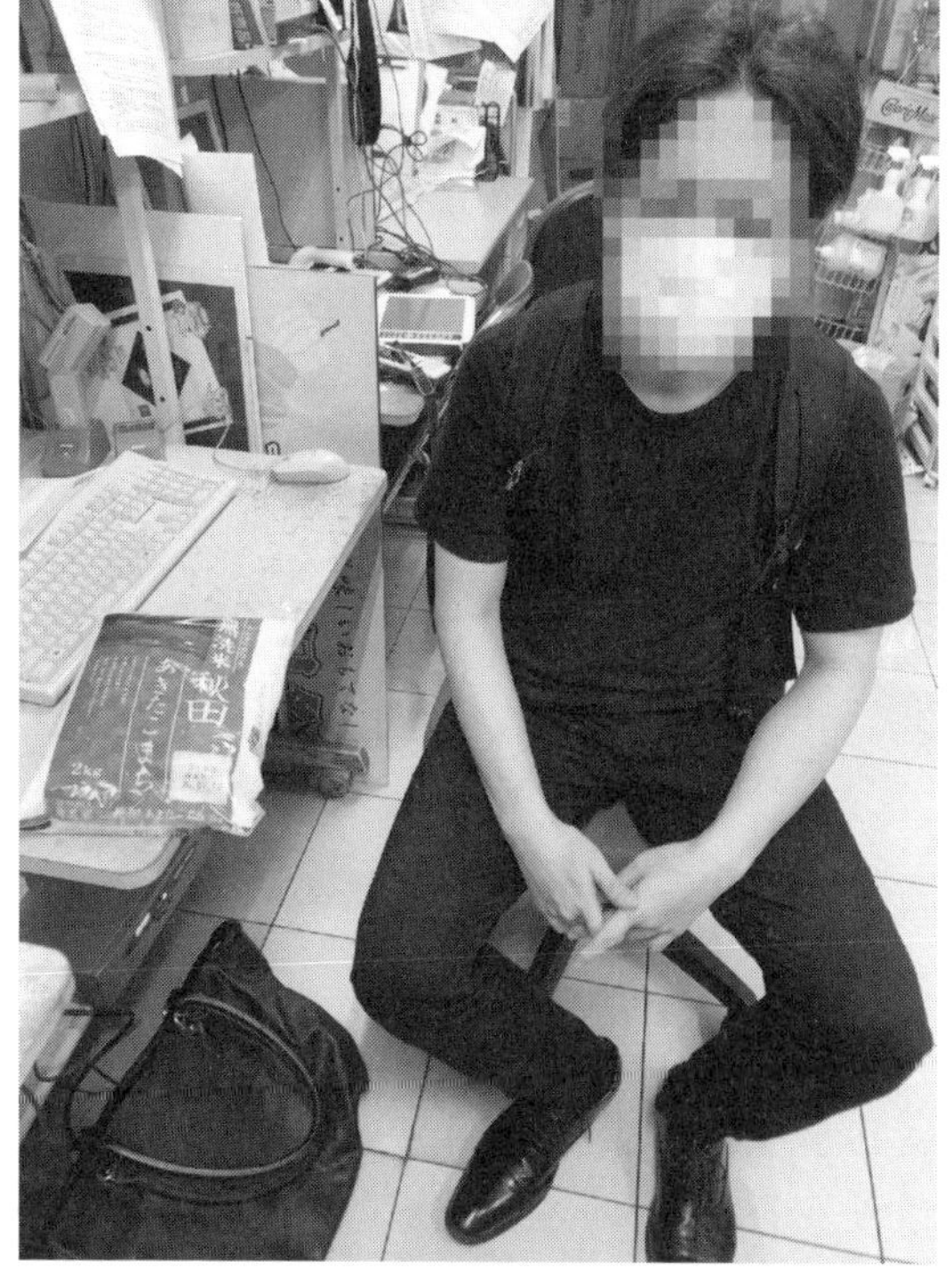

失業し、生きていくために米を盗んだ男

［この人の話に、嘘がなければね］
米泥棒に同情するお人好しの店長を前に、すっかり他人を信用できなくなっている自分の本音に気づいて、わが身の汚れ具合を再認識した日だった。

出入り禁止の女

長年にわたって契約している現場に入ると、過去に捕捉した人と再び遭遇することがある。捕捉されたとき出入り禁止の誓約書に署名しているにもかかわらず、素知らぬ顔で入ってくるのだ。きちんと買い物をしてくれるのならまだしも、懲りずに犯行を繰り返す人は多く、私たちの存在に気づいて犯行を中止することも珍しくない。面（自分の顔や正体）が割れてしまっているので、それも仕方がないが、自分がいないときを狙って万引きしていると思うと、どうしてもイライラしてしまう。最近は、万引きをして捕まった人を顔認証システムに登録することで、そうした人の入店を拒否する店も増えてきた。六割を超えるといわれる万引きの再犯率を考えれば、それも当然の流れなのだろう。ここでは、過去に捕らえて更生を誓ってくれた万引き犯に、見事裏切られた話をしたい。

当日の現場は、関東の外れに位置する食品スーパーTだった。長年にわたって地元に根付いた商売をしている老舗だ。勤務の中盤に閑散とした店内を流していると、以前に捕らえた四十代前半の女性から声をかけられた。腕や首すじにいくつかのタトゥーを入れた色黒の女だ。

「あ、お兄さん。またきょうも入ってるんだ」

「ええ、まあ」

「買い物にきたんですけど、あたし、まだ出禁なのかな？　やっぱり来ちゃダメですか？」

「それは私が許可できることじゃないけど、変なことしないならいいと思いますよ」

　この店で彼女を捕らえたのは一年ほど前のことだった。刺し身や総菜、それに缶ビールなどをバッグに隠して精算しないまま外に出た彼女が、店の前にある駐輪場に止めた自転車に乗ろうとしたところで声をかけたのだ。そのときは、商品の精算をすませ、今後は店に出入りしない旨の誓約書に署名させられたうえで、警察に引き渡されるというお決まりの流れで処理された。前科前歴がないということで被害届は出なかったものの、身柄の引き受けに家族を呼ばれたようで、あの日のことは死ぬほど後悔していると話す。

「もうあんな思いは二度としたくないので、絶対にしません。あのとき、捕まえてもらえなかったら、もっとエスカレートしていたような気がして……。お兄さんに、感謝しているくらいなんです」

「そう思ってもらえるなら、ありがたいですけど……。では、仕事中なので、失礼しますね」

　過去に捕らえた人からの声かけは何度か経験しているが、あまり気分のいいものではない。話したいことも特にないので、その場から逃げるように立ち去った私は、そのまま休憩に入って彼女との再遭遇を回避した。このような状況に陥ったときには、身を隠すのがいちばんなのだ。

　それからおよそ三カ月。また同じスーパーTで巡回をしていると、くだんの女がダンナらしき人と二人で店に入ってくるのが見えた。ダンナらしき人の体にはたくさんのタトゥーが入っていて、とても目立っていたのだ。なんとなく目を離せないでいると、入店するなり二手に分かれた二人は、誰かを探しているような動きで店内を大きく一周してから、入り口前で再び合流して仲良くカートを押し始めた。あまりに不自然な行動に強い悪意を感じた私は、落ち着きなく周囲を気にして歩く二人に気づかれないように、つばがついた帽子を目深にかぶって、その後を追った。新型コロナウイルスによる自粛要請期間中のために客足は少なく、少しでも油断すれば気づかれてしまう状況だ。慎重に身を隠しながら追尾を続けると、いくつかの商品を棚取りした二人は、この店いちばんの死角場所に入っていった。

「前回も、あそこで入れたよな」

犯行に至ることを確信しながら二人の行動を見守ると、ダンナらしき人と目配せをした女が刺し身や牛肉、ビールなどの商品を次々と自分のバッグに隠していく。見張り役がいることで安心しているのか、前回のときよりも堂々と臆することなく犯行に及んでいるようだ。通常客を装いたいのか、バッグには入りそうにないサイズのキャベツと長ネギだけの精算をすませて店の外に出た二人に声をかけると、まるでお化けでも見たかのような顔で驚かれた。

「こんばんは。また会ったね」

「ヒッ!!　あれ？　きょうも入っていたの？」

「そんなの関係ないよ。それ全部、ちゃんとお金払わないと。お二人とも事務所まで来てもらえます？」

そう言うと、ダンナとおぼしき人が口をとがらせて言った。

「なんで？　こいつが勝手にやったことで、おれは関係ないよ。なにも盗ってないし」

「奥さんだけのせいにしたらかわいそうですよ。否認するのはかまわないけど、どちらにせよ迎えにこないといけなくなるから、一緒に来てくださいよ」

「……」

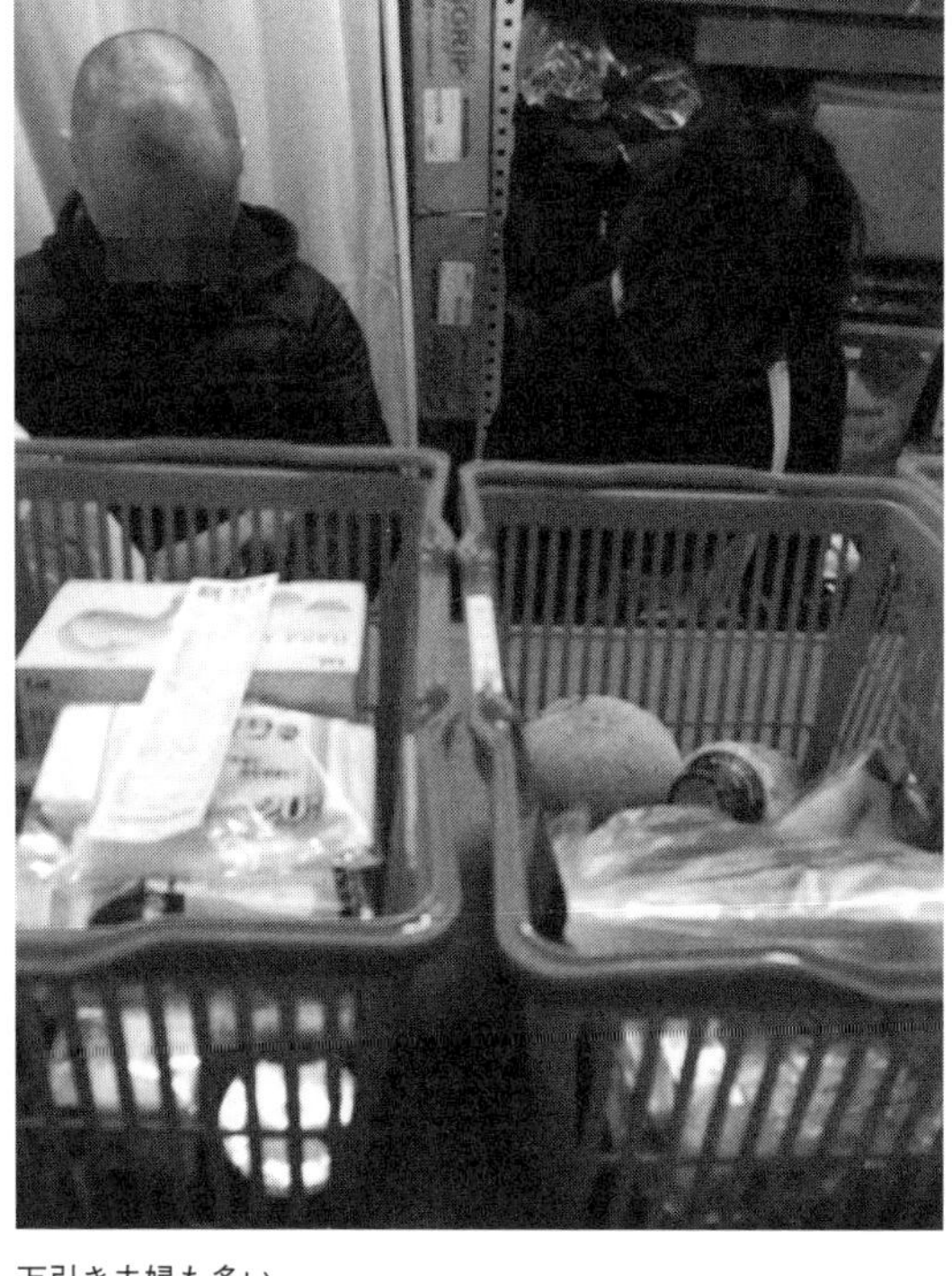

万引き夫婦も多い

二人を事務所に連れていき、盗んだ商品をデスクに出させると、計五点、合計二千八百円ほどの商品が出てきた。所持金は二人合わせても千円足らずで、商品を買い取ることはできない。二人の身分確認をすませて、店長を呼んで判断を仰ぎ、すぐに警察を呼ぶことになった。それを察したらしいダンナが、私たちを言い含めるような口調で話し始めた。

「女房のやったことは謝るけどさ、おれは盗ってないから。警察呼んでもいいけど、おれは関係ないからね」

「そうですか？　警察には、自分の目で見たことだけをお話ししますので、ご心配なく」

ダンナに裏切られて自分の行く末を案じているのか、いつの間にか涙を流していた女が、両手で私の手を握り締めて言った。

「前に捕まってから、本当に、ずっとやっていなかったんですけど、二人ともコロナで仕事がなくなっちゃって……」

コロナ禍のなかでの濃厚接触は避けたいところだが、ボロボロと涙を流す彼女を見れば、その手を振り払う気持ちにもなれない。なだめるように相槌を打ちながら話を聞いていると、二人とも派遣社員で、コロナの影響で仕事がなくなり収入が途絶えたことから、やむなく再犯に及んでしまったのだと話す。

「給付金は出たけど、家賃と光熱費でなくなって……。こうするしかなかったんです」

確かに同情すべき話に聞こえるが、共犯行為はもちろん、保安員の存在を確認してから犯行に至った点は非常に悪質で、とても見過ごせるものではない。なによりも、明らかな共犯関係にありながら、泣き叫ぶ奥さんを尻目に犯行を否認し、偉そうに腕を組んで貧乏ゆすりをしているダンナが許せない。普段は温厚な店長も同様の気持ちのようで、今回は厳しくしてもらおうと話し、珍しいことに被害届も出すという。

「ダンナのほう、こないだ送ったばかりのヤツでした。きょうは、時間かかってもいいですか？」

間もなくして臨場（初動捜査）した顔なじみの警察官によると、このダンナは数週間前にも別の店舗で万引きをして捕まっていて、書類送検されたばかりだという。その背景を聞けば、すべての罪を妻になすりつけて無関係を装う理由が見えて、やむなく再犯に至ったという女の主張にも合点がいった。共犯の罪は重く、結局は夫婦ともに逮捕されることになったが、女の流した涙だけは本当だったような気がして、どこか救われた気持ちがした。

コロナ禍で急増する万引き店主の実態

居酒屋店主

近頃は、レジ袋を断って手に持ったまま商品を持ち帰る人が増えていて、そうした状況に紛れて堂々と商品を持ち出す被疑者が急増している。マイカゴに商品を詰めてそのまま持ち出すカゴヌケの手口による犯行も目立ち、社会状況の変化によって万引きがやりやすくなっていることは否めない。万引き被害が急増した古書店がエコバッグの店内への持ち込みを禁止する一方、客を疑いたくないと、環境にやさしいバイオマスの袋を無料で頒布し続けるスーパーもある。防止対策の正解は見当たらず、いまのところは保安員の目というアナログな武器で立ち向かうほかない状況といえるだろう。ここでは、コロナ禍の食品専門スーパーで捕らえた居酒屋店主について話そう。

当日の現場は、東京近郊にある食品スーパーSだった。私鉄沿線のターミナル駅前に位置する老舗で、土地柄なのか、比較的若い世代の人たちが目立つ店だ。ここで勤務にあたるのはこの日が初めてだった。少し早めに到着したので、店長に挨拶する前に比較的小さめの店内を一周してみると、万引き犯が好みそうな典型的な死角を見つけた。

「やる人は、ここで入れるだろう」

周囲に気づかれないように死角への視界を確保する作業をしてから、いそいそと事務所に向かう。

「おはようございます。店内保安です」

「おはようございます。あなたの思ったとおり、おかしな人は、みんなあそこに入っていきます。ベテランのようで安心しましたよ。よろしくお願いしますね」

店長に挨拶をすると、防犯カメラのモニターで私の様子を見ていたようだった。少し恥ずかしく感じながら巡回を始めることになった。

「あれ？　あの男……」

午前中のピークを迎えた店内を巡回していると、胸にスワロフスキーで描いたどくろのワンポイントがある黒いTシャツを着た男性が目に留まった。胸のどくろに劣らぬ暗い表情で、高価な本マグロの切り身を三パック重ねて一度に取る動きが気になったのだ。あらためて男の持ち物を確認してみると、カゴと体の間に大きく口が開いたトートバッグを所持していて、すれ違いざまになかを垣間見ると、生鮮食品のパック群が無造作に沈められている様子だった。

「もう、いくつか入ってるな」

万引きで商材を仕入れた居酒屋店主

そのまま目を離さないでいると、すぐにくだんの死角通路へと向かった男は、カゴに入れずにわしづかみにしていたマグロのパックを一気にバッグへとねじ込んだ。あわただしくバッグに手を入れ、空間を作るようになかを整理すると、異常なほどの早足で鮮魚売り場に戻っていく。

「まだ、やるな。視界を確保しておいて正解だ」

そこでさらにスモークサーモン、タイ（一尾）、ワカメなどを手にして、それらを同じように死角通路に持ち込んだ男は、すべてをバッグに隠し終えると慎重な面持ちでレジを通過し、わざとらしくサッカー台を経由して外に出た。おそらくは客のフリをすることで精いっぱいなのだろう。追尾にはまるで気づいていない様子だった。相手は若い男なので、安全のため人通りがあるところまでよけいに歩かせて声をかけた。

「お客さん、すみません。店の者です。お会計すんでないもの、たくさんありますよね？」

「はあ？　なにを言っているんですか。全部払いましたよ、勘弁してくださいよ！」

「エッ？　そんなことないと思いますよ。レシートは、お持ちですか？」

「あれ、どうしたっけな？　捨てちゃったかな？」

払っていないのだからレシートなどあるはずがない。しかし、ここで強く否定してしまうと逃走を図られるような気がしたので、男の言葉を尊重するふりをしてみる。ふと男のバッグに目をやれば、トートバッグの開口部からパック詰めのタイ一尾が顔を出していて、助けを求められているような気持ちになった。

「では、探させてください。なければ、すぐに確認できますから」

「はあ。なんでこんなことに……」

「見ていましたけど、お支払いになっていないですよ。もし間違えていたら、謝りますので」

「……」

サッカー台の下に設置されたすべてのゴミ箱から、捨てられたレシートをもれなく取り出して確認してみても、安価な商品を購入したレシートばかりで該当するレシートは見当たらない。逃走を防止する意味合いも含めて事務所での精算確認を求めると、いまにも逃げ出したそうな顔ではあったが、暴れることなく応じてくれた。事務所に入ると、事務作業をしていた店長が、男の顔を見て驚いた。

「あれ？　店長、どうしたんですか？」

どうやら店長の知り合いのようで、詳しく話を聞けば男は駅の反対口にある居酒屋のオーナーで、いままでに何度か飲みにいったことがあるという。知り合いだったことに驚きながら、現在の否認状況を説明すると、この人はそんな人じゃないよと、逆に私を疑うような目を向けてきた。

バッグに隠したものを任意で出させて、店長に精算履歴を確認してもらうと、同一商品群の履歴は当然のことながら見当たらない。言い逃れができない状況に追い込まれ、ぼうぜんと空を見つめたままでいる男に、そっと声をかけた。

「知らない仲ではないようですし、これ以上の迷惑はかけないほうがいいと思いますよ」

「……ごめんなさい、申し訳ございません！　お支払いしますので、許してください！」

明らかに困惑する店長を尻目に、バッグにあるモノをすべて出すよう促すと、近隣店舗の商品とおぼしき食品も大量に出てきた。ウナギや和牛肉、生ガキ、アワビなど、どれもが高級品で、その品目を見れば店の営業に使うための食材であるにちがいない。この店の被害は六千円ほどだったが、近隣店舗の被害は優に一万円を超える様相で、男の前歴によっては逮捕もありうる状況だ。隠していた悪事が暴かれ、深くうなだれる男に、あきれ顔の店長が尋ねる。

「こんなにたくさん、どうするんですか？」

「言い訳になっちゃうんですけど、コロナでお客さんが全然来なくなっちゃって、店がヤバイんです」

「それは、わかるけどさ。こんなデカいバッグを持ってきているのに、なに一つ買っていないのはショックだなあ。警察、呼びますね」

詳しい話を聞けば、男は四十八歳。三万円ほど所持しているが、すぐに電気代を支払わないと店の電気をきょうにも止められてしまうそうで、このお金を使うわけにはいかないのだと話している。通報を受けて間もなく駆けつけた警察官たちも、ブツ（被害品）の多さに驚き、すぐに被害申告の意思を気にしはじめた。事件化するとなれば、商品の詳細を書類に落とさなければならないので、それが面倒なのだろう。

「Tさん（もう一件の被害店舗）は、買い取りでいいって。こちらは、どうされます？」

「同じような経験がある人ですか？」

「これだけのことやっているから、とても初めてじゃないだろうけど、捕まったことはないみたい」

目立つ前科前歴もなく、店長の顔見知りだったこともあって、商品の買い取りと今後の出入り禁止を条件に、被害申告はしなかった。深々と頭を下げて、警察官に囲まれながら事務所を後にする男の背中を見送りながら、あきれ顔の店長がつぶやいた。

「もしかしたら、ウチで盗まれたモノに金を出して飲み食いしていたのかもしれないなあ」

盗まれた生きアワビがパックのなかで弱々しく動いている姿は、しばらく忘れられそうにない。

カフェ店主

レジ袋有料化に伴うエコバッグ利用者の増加と新型コロナウイルス流行によるマスクや帽子の着用率上昇に伴い、昨今の食品スーパー店内は一見して不審者だらけといった様相を見せている。普段はあまり見かけないタイプの人たちも食料品の買い出しにくるし、大量の商品を買い込んでいく人が多いことから、不審者の見極めに手間取るようになった。商店側も危機感をもっているようで、ここのところ新規依頼が急増していて、すべての依頼を受けきれない状況だ。ここでは、コロナ不況の犠牲者ともいえるカフェ店主について話そう。

当日の現場は、東京郊外の複合商業施設にある地下食品街Mだった。精肉や鮮魚をはじめ、青果、総菜、弁当、パン、菓子、輸入食品などの多種多様な専門店が軒を連ねる、デパ地下に似た雰囲気の商店だ。今回は、万引き被害に悩むテナントからの苦情を受けた協同組合から、およそ二カ月にわたる食品街全体の集中取り締まりの依頼を受けた。この日は、その五日目だった。各店の売り場面積は小さく、棚も低いために、一見すると万引きしにくい状況に見えるが、相当数の常習者を抱えているようで、すでに何人かが摘発されていた。通常のスーパーと比べて高級な商品を取り扱っているため、万引き犯にも好まれてしまうのだろう。どうせ盗むなら少しでもいいモノを。そう考える万引き犯は非常に多いのだ。

出勤の挨拶のため事務所に出向くと、六十代くらいに見える小柄の理事長が出迎えてくれた。

「きょう一日、よろしくお願いいたします。なにか注意することはございますか？」

「魚屋と肉屋、輸入食品店の被害が多いみたいだけど、私たちは運営側だから詳しくはわからないねえ。お店の人が言うには、毎日のように来ては盗んでいく悪いヤツもいるようですよ。いまのところ毎日誰か捕まっているから、またあるかもしれないねえ」

事務的な確認事項をすませて現場に入ると、地下食品街は多くの客であふれていた。人混みに紛れて店内の構造を確認する。出入り口が多数あり、隣接する駅や百貨店にも直結している。それに加えてエレベーターやエスカレーター、階段まであるため、実行後の万引き犯がたどるルートの予測ができない。抜け場所が多い現場では被疑者を見失う確率が高く、油断できない一日になりそうだ。

「常習者の捕捉に努めよ」

事務所からの単純な指令を胸に巡回を始めると、二時間ほど経過したところで、精肉店にいるエプロン姿の中年女性が目に留まった。一見して四十代前半くらいだろうか。カゴのなかで落ち着きなくうごめく右手が気になったのだ。少し離れたところからカゴに目をやると、いくつかの精肉パックのほかに、大きく口が開いた黒いエコバッグが入っているのが見えた。なにげなく近づいて動向を見守れば、ほかの客に紛れながらカゴに入れた精肉パックをスライドさせるようにしてバッグに隠している。

「**これは常習だろう**」

カゴにあった商品をすべて隠し終えた女は、続けてソーセージを手にすると、カゴに入れるふりをしながらそれを直接バッグに隠した。そそくさとカゴを戻して精肉店を後にする女の追尾を続けると、何度か後方を気にしながら隣接する輸入食品店に入っていった。なかなか珍しい商品と、狭く入り組んだレイアウトが個性的な、とても万引きしやすい構造の人気店だ。

［ここでも絶対にやる］

犯行に及ぶことを確信して、店外から行動を見ていると、チーズやコーヒー、舶来モノのビスケットなどの商品を手に取り、次々とバッグに隠していくのが見えた。犯行の現認は十分なので、それ以上無理して見ることはしない。なるべく遠くから女の手元だけは見るようにしながら、店の外に出るタイミングをうかがった。ひとつも精算することなく持参したバッグを大きく膨らませて駅側出口の扉をまたいだ女に、そっと声をかける。

「すみませ……」

声をかけると同時に、私を振り払って走りだした女は、自動改札を突破して駅構内に逃げ込んだ。女の行く方向を確認しながら、アップルウオッチにインストールしてあるSuicaを起動した私は、慌てて自動改札機にタッチして、その後を追う。すると間もなく、乱暴に開かれた鉄扉がたてる破裂音とともに、駅員が飛び出してきた。ものすごいスピードで後方から私を追い抜くと、一段飛ばしで階段を駆け上がり、女の後を追いかけていく。

「お客さん、改札通ってないですよ！」

駅員の呼びかけを無視して階段を駆け上がった女だったが、ホーム上に出たところで追いつかれると、力尽きたようにしゃがみ込んだ。必死に階段を駆け上がってようやく追いついた私は、息を切らせながら駅員に事情を説明して協力を求めた。

「電車くるから危ないし、もう逃げないでよ」

事態を把握した駅員が駅事務所を貸してくれるというので、一人綱引きをするように膝を落として歩こうとしない彼女の両脇を二人で担ぎ上げるようにして運び、改札階に向かうエレベーターに乗り込んだ。エレベーターが改札階に着き扉が開くと、誰かが通報してくれたようで、すぐに二人の警察官が歩み寄ってきた。簡潔に事情を説明したあと即座に女を引き渡すと、行き先が駅前の交番に変更された。

「このバッグに商品を隠して、金を払わないまま駅に逃げたってことね」

交番に着くなり、プロレスラーに劣らぬほど大きな体をした警察官が女のバッグから被害品を取り出した。二店をハシゴして盗んだ商品は、計十三点、被害合計は一万二千円ほどになった。彼女の所持金は千円足らずで、クレジットカードや電子マネーも持っていないというので、商品を買い取ることはできない。警察官による身分確認の結果、彼女は三十四歳。結婚はしておらず、身寄りを失くしたばかりで、迎えにきてくれるような人はいないことがわかった。観念した様子でひとつも精算していないことを認めた女は、つい先日も別のスーパーで万引きをして捕まったばかりだと告白した。

「前に捕まったとき、もうしないって約束したと思うんだけど、なんでやっちゃったの？」

「ごめんなさい。お店を開店したら、すぐにコロナ騒動が起きて、全然お客さんが来ないんです。それで苦しくて、つい……」

傍らで話を聞いていれば、同居していた母親が亡くなり、生計を立てるべく隣町の商店街で新規にカフェを開店したばかりだそうで、その経営が思わしくなく犯行に至ってしまったらしい。交番の汚いデスクに並べられた被害品を眺めてみれば、厚切り豚ロース肉、鶏モモ肉、和牛ミスジステーキ、ソーセージ、パルメザンチーズ、ピザ用のシュレッドチーズ、コーヒー、ビスケットなど、確かにカフェで使うようなものばかりを盗んでいて、その理由に嘘はなさそうだ。

「あんた、理由はどうあれ、きょうは時間かかるよ。駅構内への不正入場の件も警察官が現認してるから、きちんと正直に話してください」

「はい。あの、すみません……」

「なに、どうしたの?」

「この靴も、さっき上の店で盗りました。ごめんなさい……」

「エエーッ!?」

恥ずかしそうにうなだれる女の足元を見れば、真新しいピンクのスニーカーを履いていて、よく見ると踵のつまみ部分にはプラスチックの値札紐が残されている。

「これ、紐だけ残っているけど、値札はどうしたの」

「ちぎって捨てちゃいました」

「履いてきた靴は、どうした?」

「この靴が入っていた箱に入れてあります」

その後、警察官とともに靴屋に出向いた女は、ちぎった値札を捨てた場所や自分が履いてきた薄汚れた靴を箱から取り出すところの写真を撮られると、各店から被害届を出されて逮捕になったため警察署に連行された。今後の彼女の人生はどのようなものになるのだろうか。不安定な社会情勢のなか一人で生き抜くことは難しそうで、励ましの言葉さえ見つからなかった。

パン屋

いわゆる職業病なのか、すれちがう人をいつも確認してしまう習性をもつ私は、電車に乗っても周囲の乗客を確認する癖がある。そのため、電車内で女子高生を狙う痴漢を捕まえたこともあれば、網棚にある酔客の荷物を盗んで立ち去る置引犯を追いかけて捕まえたこともあった。街中で忘れ物や落とし物に気づくことも多く、年に何度かは芸能人を見かける。あまり人に言えない変な習性ではあるが、それなりに楽しんでいるとも言える。つい先日は、現場に向かう電車で、以前に捕まえたことがある女性と鉢合わせになった。自分が捕まえた被疑者と電車内で遭遇するのは初めてのことだ。どことなくどんよりした雰囲気の彼女の姿が目に入ったときには、万引き犯を見つけたときと同じ気持ちになってしまい、ついつい目線を外して顔を隠した。その姿を視界に入れないようドア脇の手すりに寄りかかりながら雨に濡れた街並みを眺めていると、彼女を捕まえたときの情景が鮮明によみがえった。

「パン屋をやっているんですけど、お店の売り上げが悪くて……」

今日もこれから勤務に入る高級食品スーパーで、Mサイズのエコバッグがいっぱいになるほどの食品を盗んだ三十代後半の女は、事務所の被疑者席で涙ながらに犯行理由をつぶやいた。聞けばシングルマザーだといい、離婚時にもらった慰謝料でパン屋を開業してから、毎月の赤字に苦しんでいるという。

「腕に自信はあるんですけど、この一年半、ずっと赤字で……。前のダンナも、あまり養育費を入れてくれないから、本当に困っているんです」

「ご両親とか、誰か助けてくれる人はいないの?」

「みんな死んじゃって、頼れる人はいません。銀行もカードも目いっぱい借りちゃっているし、いまは滞納しているので貸してもらえないんです。実をいうと、今月は、家とお店の家賃も払えていなくて……」

今回の被害はおにぎりや海鮮丼、たこ焼き、高級トマト、アボカド、カマンベールチーズ、地ビール、缶チューハイ、ラーメン、メンマ、煮卵、餃子など合計十四点で、被害総額は三千円ほどになった。盗んだ商品を見ると、わりと高額で品質にこだわったモノも混在していて、どうせ盗るならいいモノをという万引き犯特有の心理が垣間見える。彼女の話が本当だとしても、盗んだ商品を見るかぎり食うに困っての犯行といえるようなものではなく、同情の余地はなさそうだ。

「買い取れるだけのお金はありますか?」

「ありますけど……、これを使ってしまうと携帯が止まってしまうので、使えないんです」

すると、自己主張ばかりする女の話を私の隣で黙って聞いていた店長が、不意に立ち上がって言った。

「そうですか。いろいろ大変みたいだけど、それとこれとは話が別だからね。ルールなので、警察を呼びます」

「ちょっと待ってください。家で小学生の子どもが待っているんです。買わせていただきますから、警察だけは許して！」

右腕にすがりつく女を振り切った店長は、スマホを片手に事務所を出て、所轄の警察署に通報を始めた。このうえなく不安げな面持ちでうつむき、涙を落とし続ける女にかける言葉はない。しばらくのあいだ無言の時を過ごしていると、臨場する警察官の足音が聞こえてきた。

「あれ、お姉さん。この前も会わなかったっけ？」

「……」

当たり前のことだが、短期間に犯行を繰り返してしまうと警察官の当たりも強くなる。犯歴照会の結果、二週間ほど前にも駅前のスーパーで捕まっていたことが明らかになり、いやみなところがある警察官が吐き捨てるように言う。

「あんた。今回は、しばらく帰れないかもしれないいな」

「子どもが家で待っているんです。もう二度としませんから許してください！」

「それ、この前も聞いた」

「ウ、ウ、ウワアーン……」

幼い子どもをもつシングルマザーが被疑者の場合は、子どもの生活を保護するために逮捕ではなく在宅調べとなることも多く、いまのところどちらに転ぶかわからない微妙な状況だ。おそらくは戒めのために脅したのだと思われるが、それを真に受けた女は、膝から崩れ落ちると床に伏して、背中を丸めて子どものように泣き始めた。大音量で泣きわめく女を見下ろす店長の顔がとても冷たく、どこか幻滅した気持ちになった。最終的には逮捕されることなく基本送致された彼女は、パン屋の従業員に身柄を引き取られることで帰宅を許された。その後の処分を私が知る由はない。

図らずも同じ駅で降りた彼女の背中を見ながら改札を出ると、偶然だろうが私が行くほうに向かって歩いていく。このまま現場に来て、また万引きされたらどうしよう。不安を抱きながらも素知らぬ顔で歩いていると、前を歩く彼女がパン屋に入っていくのが見えた。

「ああ、ここなのか……」

なんの気なしに店の入り口を見れば、かわいらしい店の雰囲気には似合わぬ、どこか重々しい感じがする張り紙がある。その内容は今月末で閉店するというもので、店を経営することの厳しさを思い知った。

銀座のJUJU

私たち保安員は仕事柄いろいろな街のさまざまな店舗に派遣されるため、行く先々の土地柄にも敏感になる。街の雰囲気が殺伐としているとそれに合わせて万引きの発生率も高くなるので、現場経験を積むほど、それに敏感になってしまうのだ。土地柄が悪い現場での勤務では、その町で有名な不良や犯罪常習者、そこを根城にするホームレスとの遭遇も避けられない。そうした人たちのほとんどは誰が名づけたのか「あだ名」で呼ばれていることが多く、どこか親しまれているような気さえする。スリや空き巣を追う刑事たち同様、私たち保安員も常習者に「あだ名」をつけて警戒にあたる。ここでは、とあるショッピングセンターの高級食品街で捕らえた女性被疑者「銀座のJUJU」について話そう。

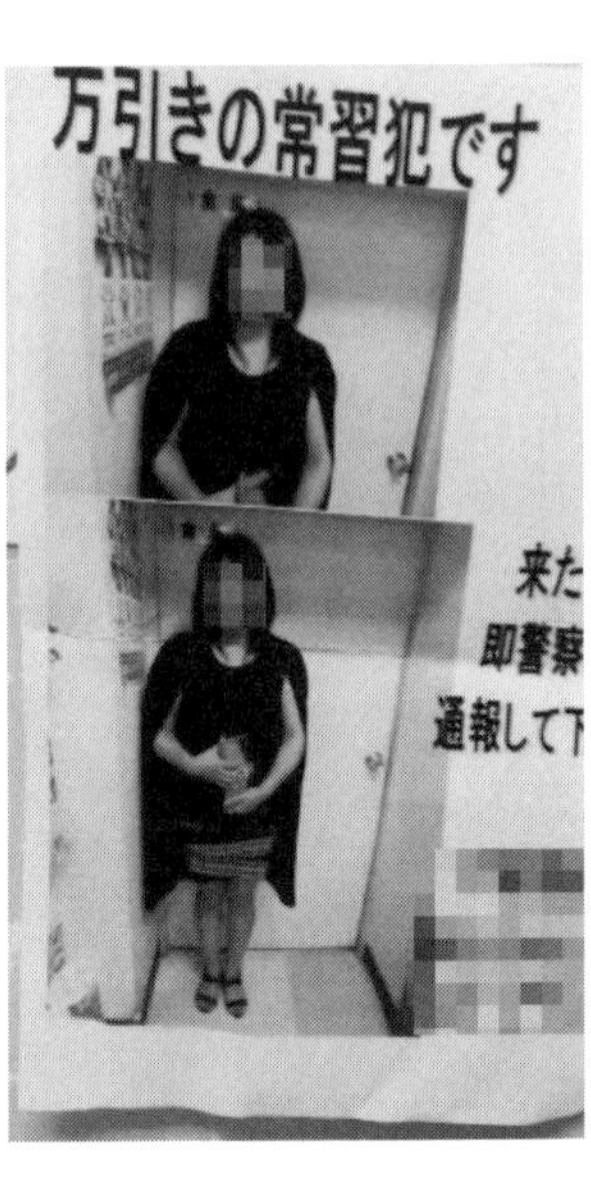

銀座の JUJU

当日の現場は、都内でも有数のおしゃれな街のショッピングセンターの地下にある高級食品街。生鮮食品の専門店をはじめ、菓子や酒、お茶など、さまざまな高級店が出店しているデパ地下のような雰囲気の商業施設だ。この日が契約初日の勤務だったため、営業担当の社員と最寄駅の改札口で待ち合わせて、現場の店内把握（店の構造や状況を把握すること）を一緒にしながら総合事務所に向かった。

「ここ、たくさんいるみたいだから、間違いがないように頑張ってくださいね」

「はい。いたらわかるし、見たらいきます」

そんな会話をしながら事務所に入ると、扉脇の掲示板に張ってあるオリジナルの手配写真が目に入った。

「万引きの常習犯です　来たら警察に通報して下さい」

そう大きく書かれたA3サイズのポスターには、このときに盗んだと思われる酒瓶を手にした水商売風女性の全身写真を載せていて、写真の脇には彼女の氏名と生年月日、職業、このときの被害品、犯行態様、それに所轄警察署の電話番号と駅前交番の内線番号までもが記載されている。それを読めば三十代前半だという女は飲食業で、酒や菓子、高級果実などの商品を持参のバッグに隠して出ていく常習犯らしい。少し神経質な感じがするマネージャーに挨拶をすませて最近の被害状況を尋ねると、女のポスターを指さしながら苦々しい顔で話し始めた。

「毎日、結構やられていると思いますよ。そのなかでもいちばん頭にきているのが、この女なんです。半年くらい前に一度捕まえたんですけど、大暴れしましてね。逃げようとするのでつかんだら、いきなり自分から服を破いて片乳を出して「痴漢です！　助けて！」って、大声で叫ばれたんですよ」

「そんなことがあったのに、いまも来ているんですか？」

「しばらくは見かけてなかったんですけどね。最近、また、やりにきているみたいなんですよ。前に捕まえたときには「夫と一緒に銀座で飲み屋をやっているけど、経営が苦しくて店で必要なものを盗んだ」と話していました。なので、ウチでは「銀座のJUJU」と呼んでいて、各店でも警戒してもらっています」

「銀座のJUJU⁉」

名前は聞いたことがあるものの顔が浮かばず困惑していると、隣にいた営業担当がスマホでJUJUという歌手画像を検索して、私に見せてくれた。確かに雰囲気は似ているように見えるが、本物のJUJUには申し訳ないと思えた。

「もし来たら売り場から連絡が入るので、心配しなくて大丈夫ですよ。そこのボードに、携帯の番号だけ書いておいてください」

頭の片隅に「銀座のJUJU」の姿を置きながら店内を巡回していると、勤務半ばに、ネギトロ巻き（五百九十八円）とイクラのパック（七百九十八円）を懐に隠して盗んだ中年男性を捕捉した。身寄りもなくネットカフェで暮らしているという男を連れて事務所の扉を開くと、ひどく慌てた様子のマネージャーが私に言った。

「ちょうどよかった。いま例の女が来たので、お酒売り場に戻ってください」

警送処理をしているあいだは、座って堂々と休める貴重な時間だ。しかし、初対面のマネージャーがそんな私の気持ちを知る由はない。男の身柄をマネージャーに預けて、少し重い足取りで酒売り場に向かうと、ラメ入りの黒いニットにタイトスカートという水商売風の服装でウイスキーボトルを手にする「銀座のJUJU」の姿があった。

それから間もなく、重く腫れぼったい目で周囲の気配をうかがった女は肩にかけた大きめのエコバッグにウイスキーボトルを隠し、続けて二本の焼酎ボトルも入れた。さらに、おつまみコーナーに移動して、サラミ、ビーフジャーキー、ミックスナッツ、酢イカなど、飲み屋で使うような商品ばかりを次々とエコバッグに隠していく。数分後、なにも買わずに出口に向かった女は、一度も後ろを振り返ることなく外に出た。しかし、エコバッグの開口部を閉じるように押さえているところを見れば、悪いことをしている認識は十分にあるようだ。過去に暴れたことがあるというので、多少なりとも人通りがあるところまで女を歩かせた私は、逃走されぬようエコバッグの持ち手をつかんでから優しく丁寧に声をかけた。

「店の者です。このバッグに入れたもの、お支払いしていただかないと……」

「はあ？　なんですか？　どれですか？」

こちらの現認状況を探るためなのか、万引き犯特有のセリフを吐いた女は、私の手を振りほどこうとエコバッグを引っ張った。

「○×さん〔「銀座のJUJU」の本名〕、ここに隠したお酒とかおつまみのことですよ。逃げてもいいけど、カメラにも映っているし、前のこともあるんだから、あとで面倒なことになると思うよ」

「……ごめんなさい」

自分の名前を言われて観念したらしい女を事務所に連れていくと、先に捕まえた男の処理中で、被疑者用の席を設けた応接室は警察官で埋め尽くされていた。

「この女の分だけは、被害届を出します」

ひどくイラついた顔で女をひとにらみしたマネージャーは、私に状況を確認することもなく警察官に被害申告の意思を伝えた。それを聞いた女はガックリとうなだれ、重い悲壮感を醸し出した。柔道をやっていそうな体格のいい女性警察官が身分確認と身体捜検（所持品検査）をすませて、エコバッグに隠したブツ（被害品）を確認すると、計十点、合計一万九千円分ほどの商品が出てきた。女の所持金は三千円程度だが、クレジットカードでなら払えると、商品の買い取りによる解放を望んでいる。

「あなた、あそこに写真張ってあるの、知ってるよね？　なんで、やっちゃうの？」

「銀座でお店やっているんですけど、売り上げが足りないから……」

「お店って、なによ？　あなたが経営してるの？」

「夫と二人でやってるんですけど、なにもかもうまくいかなくて……。ウワーン！」

するると、突然に立ち上がった彼女は、マネージャーのデスク上にあったボールペンをつかんで自分の首に突き立てた。

「こら、やめなさい！」

「自傷！　自傷！」

警察官たちの怒号が飛び交うなか、先ほどの女性警察官に制圧された女は、執拗にボールペンを握りしめて抵抗してみせたがかなうはずもなかった。落ち着いたところで傷口を確認すると、蚊に刺されたような痕しか見当たらず、その中心にあるインクが洗い落とせるかだけが気になった。

その後、取り調べの場で容疑を否認した女は逮捕され、検事調べでも否認を貫いた。そのため、後日の公判で証人出廷することになって、当日の犯行状況に関する尋問を受けた。女に下された判決は、懲役一年、執行猶予三年（保護観察処分付き）の有罪判決。このときを最後に彼女の姿を見ることはないが、銀座に立ち寄る機会があったら彼女の店がどうなっているか確認してみたい。

ラーメン屋

急な欠員が出たために、本来であれば勤務対象外の、自宅からほど近いところにある生鮮スーパーで勤務することになった。長く同じ街に暮らしているために顔見知りも多く、たまに行く店でもあるので何度かお断りしたのだが、今回限りと拝み倒された。もし、自分の知り合いが万引きしているところを現認してしまったら、いつもどおりに声をかけて警察に引き渡すことができるだろうか。そう考えると、躊躇する自分しか想像できないが、かといって犯行を現認してしまえば、それを見逃せるわけもない。結局は、そのような場面に遭遇しないことを祈るほかなく、重く憂鬱な気持ちで現場に入った。

当日の現場は、関東近郊の住宅街にポツンと位置する激安生鮮スーパーMだった。個人店主が経営する地域密着型の店舗で、妙に気合の入った職人気質の店長兼社長がすべてを取り仕切っているような店だ。コンビニを少し大きくしたくらいの規模の店内は棚が低く、見通しもいいので被害は少なそうだが、店外売り場はいつも無人で、店内外を自由に行き来できる構造が来るたびに気になっていた。設置されている防犯機器といえば、出入り口とレジ上に古いタイプのカメラが付けられているくらいで、従業員の数も少なく制服警備員の配置もないので、お客の良心に支えられているタイプの店舗といえる。狙ったモノを店外売り場に持ち出してしまえば、いくらでも盗める。そんな構造の店なのだ。

事務所に向かい、特売の値札を作成中の社長に声をかけて挨拶をすませると、初対面にもかかわらず少し乱暴な口調で指示された。

「なかはいいから、外を中心に見てくれるか？　米、油、洗剤、缶詰なんかがやられてるみたいで、毎月、全然数が合わねえんだ」

正直な話、寒い冬の日に外の売り場を巡回するほどツラい仕事はないが、それを理由に断るわけにもいかない。当日の業務は、午前十時から十八時まで。勤務開始前に、近くのドラッグストアでいくつか簡易カイロを購入しておいたので、それをポケットに潜ませて警戒を始めた。

顔見知りを見かけることもなく無難に前半の業務を終えて、閑散とした店内を見ながら休憩に入ろうか考えていると、どこか見覚えがある熟年女性が売り場に入ってきた。

「あれ、あの人……、誰だっけ？」

どこかで絶対に見たことがあるのに関係が薄い人なのか、どうしても思い出せない。遠目から気づかれないように顔を見ながら記憶をたどってみても、まったく思い出せないのだ。すると、持ち手つきのサラダ油（百九十八円）の前で足を止めた女性は、片手に三本ずつ、合計六本のサラダ油を手にして、いやな目付きで後方を振り返った。見るからにやる気満々といった様子で、そのとたん、この人が誰なのかということは、もはやどうでもよくなった。

「きっと、やる」

そう確信した私は、絶対に気づかれない位置から、女の行動を見守った。出口付近ですれ違った女性店員と軽く挨拶を交わしたところを見れば、おそらくは常連客なのだろう。何食わぬ顔で、女性店員が店内に戻るのを見届けた女は、少しだけ顔をひきつらせながら後方を振り返ると、六本のサラダ油を持ったまま店の外に出ていく。できるかぎりの早足で追いかけ、道路を横断しようとする女に追いついた私は、その背後からそっと声をかけた。

「こんにちは、店内保安です。お客さま、なにかお忘れじゃないですか？」

「ヒッ！……、な、な、なんですか？」

「なんですか、じゃないでしょう？　そのサラダ油、お支払いされてないですよね？」

「はあ？　あっ、そうだ！　ごめんなさい、うっかり忘れていました……」

どこか芝居じみた口調で、意外と素直に犯行を認めた女は、その場を取り繕うように踵を返すと店内に向かって歩き始めた。

「ちょっと、待って。事務所は、こちらですよ」

「ちょっと忘れていただけなんですよ。お金払ってきますから、勘弁してください」

「なにも買わずに、それだけ持ち出しているんだから、そんなの通用しませんよ。事務所に来てもらえないなら、いますぐ警察を呼ぶことになりますけど、いいですか？」

「……」

携帯電話を手に通告すると、どうやら降参したらしい女は、ガックリとした面持ちで事務所への同行に応じた。手錠をはめられたような格好で六本ものサラダ油を持ち歩く姿は異様で、どこか滑稽だ。

「万引きです……」

事務所に到着して、サラダ油を持ち出した女を店長に引き渡すと、店長の口から思わぬ言葉が飛び出した。

「あれ、おかみさんじゃねえか。おいおい、ウソだろ？　冗談だよな？」

「お知り合いなんですか？」

「この人、目の前にある中華屋の奥さんだよ」

「ああ、あそこの……」

どこかで見かけた理由が判明して、少しスッキリした思いがしたが、店長の怒りは徐々に大きく膨らんでいく。

「おかみさん、いったいどういうつもりなんだよ。こんなにたくさん盗って、いままでに何度もやってんだろう？　毎日のように通って、毎年の新年会と忘年会でも使っているのに、これはあんまりじゃねえか？」

「社長さん、ごめんなさい！　もうしないし、これも買わせてもらいますから、勘弁してもらえませんか？」

「そんな簡単に許せるわけねえだろ。この油、店で使うんだろ？　まさかおやじさんも知ってるのか？」

「はい。でも、私が勝手にやったことです。お願いですから、主人には言わないでください！　離婚されちゃう……」

店で使うために万引きしたと白状したおかみはその場に土下座すると、床に顔をつけるようにして体を丸めて泣き始めた。それを見た店長は、フンと鼻で笑うとその場で電話をかけ始める。

「毎度、スーパーMです。おやじさん、ランチ終わったろ？　おかみさんのことで、ちょっと大事な話があるんだ。いますぐ店の事務所に顔出してくれねえかな……」

すぐに駆けつけた中華料理店のおやじは、床にうずくまるおかみの姿を見て狼狽し、まるで状況がのみ込めていない様子で言った。

「おまえ、どうした?」

「あんた、ごめんなさい!　許して!」

　その後、おかみは警察を呼ばないことを条件に過去の犯行も告白し、いままでに何度も、油や米、調味料などを盗み出していたことを認めた。その理由は、店の経費を浮かすため。おかみの犯歴を聞くおやじの顔は、このうえなく痛々しく、目を背けたくなるほどだった。結局、いままでの分を含めて被害弁償することで示談した店長は、警察を呼ぶことなく二人を解放した。示談金の額は十五万円。この額面が多いか少ないかはわからないが、利害関係人である両者が納得しているので、きっと妥当な額なのだろう。

　つい先日、あの夫婦が営む例の中華料理店でランチをとってきた。お世辞にもはやっているとはいえないものの、その様子に特別な変化はなく、いまも夫婦で営業していた。チャーハンを食べながら、以前と同じように働くおかみを見て、離婚されなくてよかったねと心の中でつぶやいた。

映画をしのぐ万引き家族の実態

万引き隣人

　これまで、生鮮市場やスーパーマーケット、ショッピングモール、ホームセンター、書店、衣料品店、百貨店など、さまざまな現場を担当してきた。この日の現場は、珍しいことに大きな家具店だ。家具店といっても、ずいぶんと現代的な構造をした店舗で、おしゃれな雑貨から珍しい輸入食品まで、家具以外にも幅広い商品を多数扱う地元の人気店である。週末や日祝日は周辺道路が渋滞するほどの盛況ぶりで、その混雑に乗じた万引きが横行しているという。いままで付き合っていた保安会社が誤認事故を起こしたことを理由に契約を切り替えたそうで、その初日を担当することになった。四十代前半ぐらいの、目立った特徴がない女性店長に入店の挨拶をすませて、被害状況を尋ねると、にこやかにプレッシャーをかけられた。

「年間の被害で三百万くらいです。たくさんいると思いますけど、間違いだけは起こさないでくださいね」

気を抜けない週末になる気配を感じて、まだ見ぬ強豪に立ち向かうような気概をもって現場に入った私は、十分に店内把握をしてから巡回を始めた。

大型家具のショールームである二階には万引きされるようなものは見当たらないので、一階の売り場を中心に巡回することにする。広大な売り場を見て回ると、雑貨や小物家具をはじめ、食器、菓子、文具、ワイン、化粧品など、比較的高価で魅力的な商品があふれている。なくても困らない贅沢品を好む傾向がある万引き犯からすれば格好の獲物ばかりで、なにを盗まれてもおかしくない雰囲気だ。店員の姿もまばらなため、やる気になればなんでも盗れる状況といっても過言ではなく、その被害は想像以上に多いと感じられた。中身を抜き取られたらしい商品の空き箱や除去された防犯タグなど被害の痕跡も多数放置されていて、被害者である店側の防犯意識も低そうだ。

［**ここは、確かにやられているな。広い店だから、油断できないぞ……**］

たくさんの常習者を抱える店舗に入るといやな予感がするもので、どこか落ち着かない気持ちになる。おそらくは長年の経験によるものだろうが、店がもつ雰囲気や構造、扱う商品、土地柄などから、見えない情報が伝わってくるのだ。

いやな予感ほどよく当たるもので、この日は前半の勤務だけでも二件の見送りがあった。見送りとは、現認のタイミングが合わず、犯意成立要件の一部が欠けてしまい、声をかけるに至らないことをいう。短時間のうちに失敗を繰り返したことで自分の存在意義がないような気分になってしまい、どうにもならないくらいにイラついて心が落ち着かない。昼の休憩をとって気持ちを落ち着かせて後半の勤務に臨んだ私は、不審者の目星をつけるべく、入店してくる客の様子を眺めることから業務を再開した。
［あまり、いい子には見えないぞ……］
間もなく、中学生くらいに見える女の子が店に入ってくるのが目についた。中学生が一人でくるようなタイプの店ではないが、周囲を確認してみても保護者らしき姿は見当たらない。キティちゃんのプリントが入った派手なスエットを上下に着込んで、パステルカラーの大きなスポーツバッグを斜めがけした彼女の姿は、高級感あふれる店内で異彩を放っていた。その違和感から行動を見守ることにすると、腰元にあったスポーツバッグをおなかのほうにずらした彼女はチャックを全開にして、輸入物の高級調理器具が並ぶ売り場に入っていった。近くにある商品棚の陰に潜んで棚の隙間から彼女の行動をのぞき見ると、色違いのスエット上下に身を包んだ三十代後半とおぼしきカップルと言葉を交わしている。それから間もなくしてカップルは売り場を離れたが、一人残された彼女は動こうとしない。
そのまま行動を見守っていると、子どもらしからぬ悪い目で周囲の様子をうかがった彼女は、一本の高級包丁を手に取った。プラケースに貼った防犯シールを、人さし指の爪で剝がしているようで、ガリガリという音が広い店内にこだましている。どこで教わったのか剝がし終えたシールを別の商品に貼り付ける悪質さに、わが目を疑う気持ちになった。防犯シールの除去を終えた高級包丁を素早くバッグに隠した彼女は、次に小さなフライパンを手にした。それも同様の手口でバッグに隠すと、さらに続けて小鍋やトングなどいくつかの商品を隠していった。防犯機器を手際よく除去して臆することなく大胆に商品を隠していく彼女の様子に、強い常習性を感じた。バッグのチャックを閉めて歩き始めたので後を追うと、迷うことなく化粧品売り場に入っていった。

「あ！　また、いる」

化粧品売り場に目をやると、彼女のほかに、あのカップルの姿もあった。近づける雰囲気ではないので、遠目から注意深く観察すると、それとなく彼女に近づいてなにやらつぶやいている。一連のことが偶然とは思えず、なにをするでもなく早々と売り場を離れていく二人の行き先が気になるが、現認がとれている彼女から目を離すわけにはいかない。そのまま彼女の動向を見守ると、高そうな化粧水を手に取り外箱から中身を抜き取った。再度バッグのチャックを開いてそれを隠すと、外箱はつぶして棚の隙間にねじ込んだ。続けて、乳液や口紅、アイシャドー、ファンデーションなどを手にした彼女は同様の手口ですべてをバッグに隠すと、さまざまな場所に外箱を隠していく。

「きょうは、ここまでか」

重みが増したバッグのチャックを閉めて足早に歩き始めた彼女は、レジを通ることなく店の出口を通過した。バッグのひもをつかんで彼女を呼び止めると、店内で見かけたカップルが、ママチャリに乗って駆けつけた。

「おい、おまえ、うちの娘に、なにをしているんだ。その手を離せ！」

彼女の父親を名乗る男の、やけに偉そうな独特のしゃべり方が耳に障る。

「この子の親御さんですか。店の者ですけど、このバッグのなかに、お支払いいただかないといけないものがたくさん入っているので、事務所まで一緒に来ていただけます？」

少しいやみっぽく言うと、はすに構えた小太りの母親が彼女をにらみつけて言った。

「エエーッ!?　あんた、本当なの？」

答えるかわりに黙ってうなずいてみせたが、目撃した状況と盗んだ商品から察するに、彼らが彼女に指示を出して盗ませたにちがいない。すべての罪を子どもになすりつける悪質な姿勢は、親どころか人として許せないレベルで、こんな人間を親にもつ彼女がかわいそうに思えてくる。

「よく言って聞かせますし、買い取らせていただきますので、今回だけは勘弁してもらえませんか」

言い慣れたセリフを言うように、まるで気持ちがこもっていない口調で許しを乞う母親を無視した私は、いやがる一家をなだめながら事務所に連行した。事務所の扉を開くと、彼らの顔を見た店長が慌てた様子で駆け寄ってきた。

「いつも、ご迷惑をおかけしております。また、迷惑駐車でしょうか？」

「いや、その……」

「なにか支障がございましたら、すぐに警備員を……」

「いや、きょうは、大丈夫なんだけど……」

どうやら顔見知りらしいが、店長がなにかを勘違いしているようなのでしっかりと状況を説明する。すると、とたんに態度を急変させた店長が、思いのほか乱暴な口調で怒鳴った。

「いままでさんざんクレームをつけてきたうえに、商品まで盗んでいくなんて、あんまりじゃないのよ」

「まだ小学校を卒業したばかりの子どもがやったことだし、全部買い取るから、それでお願いしますよ。いつも迷惑しているのは、こっちのほうなんだし、お互いさまでしょ？」

「はあ？　いくらお隣で、ご迷惑をかけているとはいえ、それとこれとは話が別よ。子どもだけの話かどうか、警察を呼んで調べてもらいますね」

「ああ、呼べよ。そこまでするなら、おれも考えるよ」

店の隣に住んでいる人たちのようだが、固定電話の受話器を上げた店長は迷うことなく通報した。その横で、今度は母親が口を出す。

「お隣同士、お互いさまなんだから、きょうのところは勘弁してもらえませんかねえ。ご近所だから、こんなことでもめても、ろくなことないわよ」

「申し訳ないけど、ご近所だからこそ許せません。このお店には、二度と立ち入らないでくださいね」

この日の被害は計十一点、合計で二万六千円ほどだった。

隣人の圧力に屈することなく被害届を出した店長だったが、駆けつけた所轄の警察官が防犯カメラの映像を確認した結果、両親が犯行に加担した証拠になるような映像は見つからなかった。被疑者である娘も、まだ十三歳なので、罪に問われることはない。結局、虐待の恐れありという注意を伝えたうえで、触法少年として児童相談所に通報することで、誰ひとり罰を受けることなく事件は終結した。捕らえた被疑者に罰を与えることを目的に仕事をしているわけではないが、どこか釈然としない気持ちになったことは否めない。

その後、出入り禁止になった一家が店にくることはないが、そのかわりなのか、迷惑駐車や店舗周辺道路の渋滞に関するクレーム電話が頻繁に入るようになった。そのうちの何度かは一一〇番通報され、そのたびに警察官から指導を受けている状況だ。

「あの人たち、うちの駐車場も、好き勝手に使ってるのよ。犬の散歩までして、ウンチも片付けないの。ほんと、人間のクズよね……」

憎まれっ子、世にはばかる。気の強い店長が頭を抱える姿を見て、向こうのほうが一枚上手だと、言い知れぬ敗北感を味わった。その後、自らが見張りを買って出て、店の敷地内から家族の行動を数日にわたって動画で記録した店長は、それを証拠に損害賠償請求訴訟を起こした。その結果は確認できていないが、無事和解して穏やかに勤務していることを願うばかりだ。

リアル万引き家族

信じがたい話ではあるが「万引き家族」が年を追うごとに増加している。二〇一八年に公開されて大ヒットした映画『万引き家族』(監督:是枝裕和)の悪影響もあるのだろうか。最近の風潮では、刑罰の対象にはならない十四歳以下の子どもを実行犯に仕立て上げるケースが目立ち、捕捉されたときに「子どもが勝手にやったことだ」と居直る保護者まで散見される。その発想が映画によるものだとしたら、製作協力者の一員としてこれほど残念な話もない。

S県にあるショッピングモールで勤務にあたっていたときの話だ。モール内の食品売り場で警戒していると、七十代に見える女性と三十代ぐらいの女性、そして小学校高学年くらいの少女の三人組——たぶん祖母と母親とその娘だろう一家が入店してきた。一見ありふれた家族のように見えるが、その雰囲気がどことなくおかしい。ショッピングモールで買い物するのは楽しいはずなのに、会話もすることなく、一家全員の表情が重く沈んでいるのだ。それが気になって様子を見守っていると、母親からなにかを言いつけられた娘が、足早に酒売り場へと向かっていった。娘の顔には緊張感がみなぎり、酒売り場の通路の両端を固めた祖母と母親は、落ち着きなく周囲を見回している。気づかれないように一家の行動を監視すると、間もなく二本の高級ウイスキーを手にした娘が、祖母と母親にアイコンタクトを送って肩にかけたエナメル製のスポーツバッグに酒を隠した。三世代にわたる共犯による犯行を見るのは初めてだ。得体の知れない怒りに心拍数を上げた私は、彼らの視界に入らないように細心の注意を払いながら、万引き一家の追尾を開始した。

カゴを手に取って生鮮食品売り場に移動した一家は、タイやマグロの刺し身、和牛肉などを娘に取らせて、この店いちばんの死角である菓子売り場に向かった。そこで酒を隠したときと同じフォーメーションで生鮮食品をスポーツバッグに隠し入れると、続けていくつかの菓子を手にした娘は、それも隠した。菓子を選ぶ娘の表情には年相応の楽しげな様子がうかがえたが、商品をバッグに隠すときには悪役商会顔負けの怖い目をしている。その手馴れた犯行を見れば、今回が初めてでないことは明らかだった。何度も後ろを振り返りながら出口に向かう一家が店外に出たところで、娘の肩にあるスポーツバッグのひもをつかむと同時に、そっと声をかけた。

「こんにちは。このバッグのなかにある商品、精算してもらえますか？」

そのとたんに表情を変えた母親が、くってかかるように声を荒らげた。

「なんですか、どれですか？　うちの子どもが、なにをしたっていうんですか？」

常習者の多くは、見られていないという自信からか、このようなセリフをよくはく。しかし、犯行の一部始終を確実に現認しているので、声かけに臨んだ私がひるむことはない。

「お酒を入れるところから、全部見ていたんですよ。あなたたちだって、しっかり見張っていたでしょう」

その瞬間、傍らにいた祖母が、娘の手を引いて逃走を図った。娘が持っているバッグをとっさに引き寄せて、それを阻止する。

「ママ、助けて!」

泣き叫んだ娘はもがくように暴れて、私の足を複数回も踏みつけた。それに合わせて母親が私の手を引っ掻く。これも打ち合わせたうえでの行動なのだろうか。こんなふうに家族の絆を見せつけられても、まるで感動できない。

「痛いなあ。いいかげんにしろよ……」

痛みに耐えながら手を離さないでいると、事情を知らない中年男性が駆けつけてきて、あろうことか私を突き飛ばした。

「あんた、こんな小さい女の子になにをしているんだ。一一〇番もしたからな!」

「なにって、万引きしたから声をかけてるんですよ。悪いのは、この人たちなの!」

「エエーッ……!?」

言葉を失った中年男性は、困惑した表情を浮かべて立ち尽くす。すると、この男性の通報に応えたのか、サイレンを鳴らしたパトカーが横付けし、助手席から警察官が飛び出してきた。

「おい、なにをやっているんだ。その手を離せ！」

警察官も同様に私を悪者として扱ってきたが、事情を説明すると納得して、娘が持つバッグの中身を確認してくれた。動かぬ証拠を突き付けられた祖母と母親はふてくされた表情で私をにらみながら、子どものしたことだからと居直っている。真実を知る立場として、この振る舞いを許すことはできない。

一家を警察官と一緒に事務所まで連行して、防犯カメラの画像を確認すると、運の悪いことに二人が見張っている決定的な場面は記録されていなかった。証拠をもたない見張り役を立件するのは容易なことではない。あきらめかけたそのとき、一家の前歴照会をかけた警察官が顔色を変えて言った。

「酒を盗んでいることだし、前にも同じようなことをしているようなので、タレ〔被害届〕が出るなら全員を立件する方向で調べます。どうされますか？」

犯情も悪質なことから店長が被害届を出すことを決め、祖母と母親は逮捕されることになった。まだ小学校五年生の娘は、三人暮らしであるためにガラウケ（身柄引受人）を用意できず、児童相談所に保護されるようだった。

この一家の暮らしは、今後どのような行く末をたどるのだろうか。そこに見えるのはドロドロとした暗闇しかなく、親を選べない子どもの苦しみに、胸が張り裂ける思いがした。

悪い夫婦

毎月の給料が少なすぎて、たいした貯金もできていない私だが、都内各地の現場では数多くの「貯金」をしている。私たちの世界でいう貯金とは、限りなく被疑者に近い不審者のこと。たとえば、商品の棚取りを見ていない状況で、不自然に周囲を警戒しながら手にある商品をバッグに隠す場面を見ただけでは、犯意が成立させられず捕まえることができない。そんなときには、イラつく気持ちを抑えながら、顔やバッグ、隠した商品、服装などを記憶に刻んで見送って後日につなげるほかなく、そうした人物のデータが貯金になっていくわけだ。日常の業務でそのような場面に遭遇することは意外に多く、タイミングが合わずに何度も見送っている不審者も数多くいる。同じ現場に入るほかの職員との情報交換も欠かせない。仕入れた情報と特徴の似た人の行動を確認した結果、とうとう犯行を現認するケースも多い。万引きする人たちは同じような服装で来店して同じような行動を繰り返すので、人着や手口は有力な情報になる。つい先日、二十年以上にわたってお世話になっている都内の古いショッピングモールで捕らえた女性被疑者も、そんな貯金のうちの一人だった。

「あ！　やってる！」

出勤の挨拶を終えてモール内の食品売り場に入った瞬間、目の前にいた体格のいい若い女が妙に慌てた様子でカゴにある商品を大きなボストンバッグに詰め込み始めた。詰め込んでいる商品は、ステーキ肉やイチゴ、チーズなど、どれも比較的高価なものばかりで、挙動からすれば商品を盗んでいるにちがいない。しかし、犯意成立要件である棚取りは一つも見ていないので、このまま店外に出てしまえば捕捉することはできない。

［あと一つだけ、盗ってくれないか……］

一つでも現認できれば、すでに隠した商品の精算状況まで確認できる。その一心でさらなる犯行を期待したが、すべての商品を詰め終えた女は、私の望みをかなえることなく売り場を離れた。盗んだとおぼしき商品を詰めたボストンバッグには子どもの写真を使って作ったキーホルダーを付けている。それを目印にして後を追うと、女は食品売り場の脇にあるフードコートに入っていった。しきりに後方を振り返る女の視線に注意しながら後に続いてフードコートに入ると、三、四歳くらいの女の子が喜びに満ちあふれた無邪気な表情で女のほうに駆け寄った。その子が座っていた席には父親らしい体格のいい強面の男性も座っていて、なぜだか彼女の後方周囲を気にするように見回している。子どもに手を引かれるようにして座席に向かう女もキョロキョロと周囲を警戒していて、お互いが承知のうえで犯行に及んでいるような雰囲気を感じた。それから一時間ほどフードコートに滞在した一家は、売り場に戻ることなく駐輪場に向かうと二台の自転車に分乗して走り去った。ただ見送るしかできない自分のふがいなさに、じだんだを踏んだことは言うまでもない。

それから二カ月ほど過ぎたある日。同じショッピングモールで勤務を開始した直後に、以前に見送った女が一人で入店してくるのが見えた。前回同様、子どもの写真を使って作ったキーホルダーを付けたボストンバッグも持ってきているので、おそらくはきょうもやる気なのだろう。不審者の行動を入店から確認できるのは、私にとってこのうえなく有利なことだ。しかし、鋭い視線で周囲を警戒しながら広い食品売り場を素早く動き回る女の犯行を現認するのは至難の業で、なかなかうまくいかない。近づけないまま右往左往しているうちに、いくつかの商品を隠されてしまった。なんとかしなければと汗をかきながら必死に追尾していると、不意にエスカレーターに乗り込んだ女は上階にある人気洋服店に入っていく。

〔ハシゴするつもりだな〕

この洋服店は、同じモール内にあっても契約先ではない。しかし、使用する休憩室は一緒なのでこの店の女性店長とは顔見知りの関係で、万引き犯を捕捉することも許されている。

「ちょっと、おじゃましますね……」

無断で店内に入るのは気まずいので、入り口近くで品出しをしていた女性店長に小さく声をかけると、すべてを察した様子でほほ笑んだ。それから間もなく、婦人用のパンツとインナー、それにディスプレーしてあるハンドバッグを自分のボストンバッグに隠した女は、支払いをすませることなく洋服店を出た。明確な現認がとれたので遠巻きに彼女を追うと、隣接する百円ショップに立ち寄った。

そこでも複数の化粧水や詰め替え用ボトルなどを次々とボストンバッグに隠した女は、レジから離れたほうの出入り口を通過した。警戒しているのか、人けがない階段を使って一階に下りる慎重さだ。少し距離を置いて足音を立てないように階段を駆け下りた私は、店の前にある駐輪場で彼女に追いついた。見覚えがある自転車の子ども席にボストンバッグを載せたところで声をかける。

「こんにちは、店の者です。そのバッグのなか、お金払ってないものたくさんあるでしょう?」

「あ、はい。すみません……」

こちらが拍子抜けするほど、犯行を素直に認めた女を事務所に連れていき盗んだ商品を出させると、洋服店と百円ショップで現認した商品のほかに、食品売り場で盗んだ酒やフルーツ、高級和牛肉など十点(およそ六千円相当)の被害品が出てきた。三店の被害合計は計二十九点、合計で一万三千円ほどになり、ブツ量からすれば逮捕されてもおかしくない状況だ。

「たくさん入れちゃったね」

「やっているうちに、ぜいたくになっちゃったみたいで……」

身分を確認するとこの店の近くに住む二十五歳の専業主婦だった。女は、動揺することなく、ほほ笑みながらひとごとのように話した。盗んだ商品を買い取るだけのお金は持っているようだが、お金を払うから許してほしいというような発言はなく、警察を呼ぶなら呼べといった感じの開き直った態度でいる。テーブルの上に投げ出された女の手を見れば、指にリング模様の入れ墨がある。犯罪傾向の強さも垣間見え、とてもふてぶてしい態度から、こうした場面に慣れている様子が強く伝わってきた。

化粧水や詰め替え用ボトルの使途を尋ねると、ネット通販で買った高級化粧水の中身を入れ替えて返品するのだと、少し自慢げに告白する。それも立派な犯罪行為だが、悪気のない様子で話しているところを見ると、罪の意識は弱そうだ。

「こういう場面にずいぶんと慣れている感じがするけど、前にも警察に行ったことある?」

「慣れているわけじゃないけど、三回くらい捕まったことあります。最後のときには、三十万円の罰金も払わされました」

「前に、家族と一緒に来ていたときも、同じことしていたよね？　ダンナさんは、このこと知っているの？」

「……」

よけいなことはしゃべらないと決めているらしく、これまで饒舌だったにもかかわらず固く口を閉ざした。その後、警察に引き渡された女は、幼い子どもがいることを考慮されて基本送致処分になり、夫が身柄を引き受けることでその日のうちに帰宅を許された。共犯者とおぼしき夫が被疑者の身柄を引き受けにくる現実に、世の中には悪い人がたくさんいることをあらためて痛感する。

「貯金、使っちゃったな。次回からは、あのダンナに気をつけないと……」

この店での大きな貯金を下ろして大好きなビールを片手に溜飲を下げた私は、新たな貯金をすでにしていたことに気づいた。この仕事に終わりはないのだ。

子連れ万引き

最近は、特定の系列店舗に狙いを定めた窃盗団による犯行が頻発していて、関係者は戦々恐々だ。いまや貧困を理由に万引き行為に至る者よりも、法の隙間を突いた計画的で粗暴な換金目的の犯行に及ぶ者が多く、その対応に限界を感じることも増えた。用いる手口や犯行態様は、悪質かつ複雑化していて、現行法では対応しきれないような事案まで発生している。なかでも、犯意を否定する目的で、罪に問われることがない年齢の子どもを利用する犯行は個人的に許せない。ここでは、幼いわが子を利用して犯行に及ぶ万引き女について話そう。

当日の現場は東京のベッドタウンに位置する生鮮食品スーパーLだった。ここは団地に囲まれた地域密着型の中規模スーパーで、あまり状況がよくない中学校などいくつかの学校が近隣にあることもあって、長年にわたって相当数の万引き常習者を抱えている状況にある。一日入れば、一人は挙がる。保安員の私たちから言わせれば、そんなイメージの現場だ。ところが、この日はあいにくの雨だった。来店者が少なく、特に変わったことがないまま後半の勤務に入ることになった。天候の悪い日は万引きする人が少ないのだ。

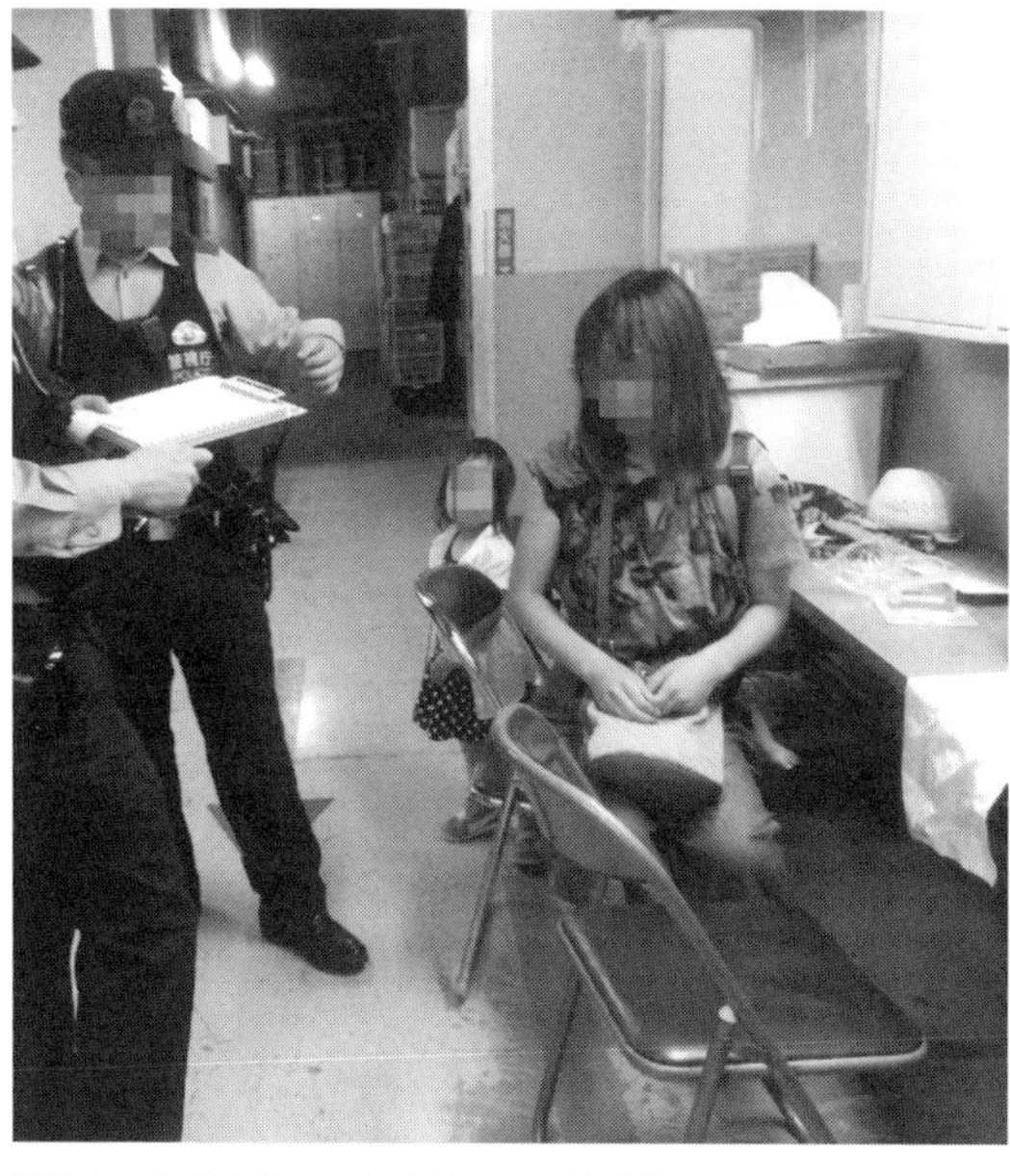

子どもたちのトラウマにならないことを祈る

夕方のピークを迎えて少しはにぎわい始めた店内を流すように歩いている

と、三十代前半とおぼしき女性が小さな女の子を引きずるようにして歩く姿が目に留まった。まだ三歳くらいだろうか。足元がおぼつかない女の子を連れているにもかかわらず、子どもがあたふたするくらいの早足で歩く彼女の姿がどこか異様に見えたのだ。彼女は生後半年に満たないくらいの赤ちゃんも背負っていて、激しい歩調に合わせて体を大きく上下させている。遠目から見ればもぐらたたきを彷彿させるほどの大きな動きで、背負われた赤ちゃんはとても居心地が悪そうに見えた。

［なにを、そんなに慌てているんだろう］

すれ違いざまに人着を確認すると、色あせたグリーンのジャンパーと、靴底が擦り切れて繊維が出てしまっている赤いサンダルが目についた。女の子の着ている白いワンピースも薄汚れてグレーがかっていて、『プリキュア』のイラストをプリントしたピンクの靴までもが泥だらけの状態で、二人とも相当の不潔感を放っている。

カゴに目を落とせば、いつの間に手にしていたのか、鶏肉、アサリ、牛乳、卵、菓子パンなど、あまり万引きされない安価な商品ばかりが入っていた。買い物カゴを持つ左手の手首には、雑誌の付録で話題になったDEAN&DELUCAのトートバッグをかけ、不自然なほど大きく口を広げている。あくまでも個人的な見解だが、付録のトートバッグは犯罪供用物（犯行に用いる道具）になることがなぜか多く、警戒せざるをえない気にさせられるのだ。

［あのバッグは気になるけど、安いモノばかりだから、やらないかな……］

そう思いながらも、どこか可能性を捨てきれずに観察していると、この店いちばんの死角である菓子売り場に入っていくのが見えた。客を装って棚の端からのぞき見れば、ママにおねだりする女の子の声が聞こえてきた。

「ねえ、ママ。あめちゃん、食べたい」

「うん、いいわよ。好きなのを取りなさい」

「やった」

うれしそうにキャンディーを選び始めた女の子に背を向けた彼女は、カゴにある商品をすべてトートバッグに隠した。棚取りは全然見ていないので、このまま出られてしまえば見送るほかない状況だ。空になったカゴを売り場通路にある柱の陰に放置したところを見ると、これ以上商品を隠匿するつもりはなさそうだ。

「あの飴玉は、買うのかな？　あれをやったら声をかけよう」

そんな気持ちで見守っていると、三本のチュッパチャップスを手にした女の子が彼女に言った。

「ねえ、ママ。いま食べてもいい？」

「一本だけね」

「やったー。イチゴのにしよう！」

「ほかのは、この袋に入れて」

手渡されたビニール袋に、いま食べたいらしいイチゴ味以外のチュッパチャップスを入れた女の子は、破顔の笑みを浮かべてイチゴ味の包装を解き始めた。

「開けにくいでしょ？　ママが持っていてあげようか？」

「いや！　じぶんで！」

「もう、早くしてよ」

イラついた様子を見せる彼女を待たせ、時間をかけて包装フィルムを剝がした女の子がチュッパチャップスを口に含むと、出口に向かって歩き始めた。女の子の手を引く彼女のスピードは、前にも増して素早く、グズる子どもを無理に連れ帰る母親の姿にしか見えない。しきりと後方を振り返る彼女の視線をかいくぐり、証拠にするために女の子が途中で捨てた包装フィルムを拾い上げた私は、外に出た女が駐輪場に止めてある自転車に手をかけたところで声をかけた。

「店内保安です。お子さまが持たれているチュッパチャップスとか、お支払いしていただきたいのですが……」

「え？　あれ？　あ、この子、いつの間に……。申し訳ありません」

包装フィルムを片手に声をかけると、ひどく動揺した様子の女は、すべてを子どものせいにしながらも事務所への同行に応じてくれた。事務所の応接室で向かい合って座ると、何日か風呂に入っていないのか、ホームレスの人たちと同種の臭いが漂ってくる。なにげなく頭髪を見れば、脂気が多く見える髪の毛はボサボサで、大量のフケが付着していた。

「すみません、おいくらですか？」

どうやらチュッパチャップスの精算だけをすませてこの場を収めようとしているようだが、脇に置いたトートバッグの中身が気になる。ビニール袋を娘に渡すところのほかに、カゴにあった商品をバッグに隠すところも見たと、少し遠回しな言い方で伝えてみると、とたんに顔色を変えた女はトートバッグの口を押さえて否認した。これ以上の質問は取り調べ類似行為になりかねないので、ひととおりのことを女性店長に報告して判断を仰ぐ。

「あんな小さな子どもを使って万引きするなんてありえないわね。警察を呼びましょう」

間もなく男女一組の警察官が到着すると、そのうちの女性警察官が女の顔を見るなり声をあげた。

「あ！　Fさんじゃないのよ。あんた、またやっちゃったの？」

「いや、違うんです。子どもがアメを……」

耳に入る二人の話を聞いていると、二人の子どもを抱える無職のシングルマザーだという女は、署内でも有名な常習者のようだ。犯歴照会の結果、前回の件で審判中であることも判明。女がかたくなに罪を逃れようとする理由はこれだったのだ。

警察官による取り調べの結果、トートバッグにある商品も盗んだと認めた女だったが、所持金は二十円ほどで商品の買い取りはできず、立て替えてくれるような人やガラウケも用意できないと話している。このまま被害届が出されてしまえば女は逮捕され、しばらくのあいだ留置されることになる。そうなれば、子どもの面倒をみるのは誰になるのだろうか。重苦しい状況のなか、一家の将来を左右する被害申告の判断を迫られた女性店長が頭を悩ませていると、それを眺めていた女の子がビニール袋から一本のチュッパチャップスを取り出して言った。

「これ、どうぞ！」

「……ありがとう」

自分の店で盗まれたチュッパチャップスを差し出された女性店長は、それを受け取ると警察官に被害申告しないことを告げて、女に出入り禁止の誓約書を書いてもらうよう私に指示した。盗んだ商品は、私の現認不足を理由に返却を受け付けないことにし、子どもが食べてしまったチュッパチャップスの支払いも求めないと言う。

「娘さんに救われたこと、忘れたらダメですよ」

店長の優しさにふれた女は、低い声で嗚咽を漏らすと顔を覆って泣き始めた。

「これ、どうぞ！」

最後のチュッパチャップスをむせび泣く母親に差し出す女の子の純真無垢な目は、いまも忘れられない。

困窮と貧困——万引きせざるをえないような人たち

若年貧困層による万引き

新型コロナウイルスによる緊急事態宣言が発令されてから、二十代から三十代の生活困窮者による万引きを目にする機会が増えた。比較的安価な食料品や酒などを盗むことが多く、捕らえてみれば小銭さえもろくに持たないケースが目立つ。

つい先日、都内の大型スーパーでの勤務中、未精算の商品を手に持ったまま店外に出る「持ち出し」と呼ばれる手口で二つのおにぎりを盗んだ一見サラリーマン風の男を捕らえた。被害総額は、二百六十五円。身分確認の結果、身なりのきれいなホームレスであることが判明した二十五歳の男に犯行理由を聞いてみる。

「きょうは、どうしたんですか?」

「悪いとは思っていたんですけど、腹が減っちゃって我慢できませんでした……」

男の所持金は、わずか六円。少し前までは生活保護を受給しながら簡易宿泊所に寝泊まりしていたと話しているが、門限破りをしたことで施設を出されてからは、ネットカフェやハンバーガー店を拠点にして日雇いの仕事で食いつないでいるという。ここのところ雨の日が続いて数日にわたって仕事にありつけなかったことから、所持金が底をついて犯行に至ったらしい。今夜はどこで寝るのか聞いてみると、駅の階段か公園のトイレで寝るつもりだと話した。

盗んだ商品を買い取れない場合には、商品代金を立て替えてくれるガラウケを用意してもらうしかない。誰か助けてくれる人はいるか尋ねてみると、家族とは絶縁状態にあり、助けてくれる友達もいないと答えた。金の切れ目は縁の切れ目。血肉を分け合った家族や、いくら仲がよかった友人でも、その基本は不変なのだろう。

「日雇いの仕事が決まっているので、あしたまで待ってもらえないでしょうか」

軽微な被害でもあるし、商品を買い取ってくれれば警察を呼ぶまでもないと店長は話していたが、その支払いを猶予するまではできない。やむなく通報すると、その動きを察知した男が突然泣き始めた。なだめながら話を聞けば、きのうも別の店でおにぎりを盗んで捕まっていて、次にやったら逮捕すると担当刑事に脅かされたらしい。

「おれ、刑務所だけは行きたくないです。お願いします、助けてください」

「刑務所に行くことはないだろうけど、罰金刑になるかもしれないですね」

「え？　罰金が払えない場合は、どうなるんですか？」

「労役に行くことになりますよ」

窃盗罪の罰条は十年以下の懲役だったが、二〇〇六年の法改正で五十万円以下の罰金刑が新たに制定された。国は罰金を徴収することで犯行を抑止しようと考えたのだろうが、実際の現場では罰金刑の存在を知らないまま捕まってしまう万引き犯ばかりで、さほど周知されていない状況にある。そもそも金に困って空腹に耐えかねて食品を盗んだ者に対して罰金を科しても、なにも解決しないだろう。

「それじゃあ、刑務所に行くのと変わらないですね。もうおしまいだ……」

警察官が臨場するまでのあいだ、より大きな嗚咽を漏らし続けた男は、あえなく逮捕されることになった。警察庁は万引きを規範意識の問題に落とし込み、万引きは犯罪だと訴え続けているが、貧困や空腹は規範意識を超えて行動にはしらせる。頻発する高齢者による万引きの理由の多くは貧困だが、高齢者を支える立場にあるはずの若い人たちの暮らしも同様だとすれば、この国の先行きが不安でならない。

被災者

当日の現場は東京下町のベッドタウンに位置する総合スーパーYだった。深夜まで営業している地上三階建ての大型店舗だ。長年付き合いがある現場ではあるが、予算の都合上、年に数日しか保安員を導入できないため、来るたびに数件の捕捉があり、比較的多忙な現場といえる。居並ぶ団地群の脇道を抜ける最短ルートをたどって総合事務所に挨拶にうかがうと、久しぶりに顔を合わせる店長がうれしそうに出迎えてくれた。

「ああ、やっと来てくれた。ここ三カ月くらいのことなんだけど、三階にある男性用トイレの個室で弁当をくっているヤツがいてさ。お金を払っているとは思えないから、なんとかしてほしいんだよね」

「人着とか、来ている時間帯は、わかりますか？」

「ただ、個室内に飲食したあとがあるくらいで、なにもわからないんだよ。ほぼ毎日やられているから、防犯カメラのチェックをすれば、どこかに映っているだろうけど、確認する時間がなくてさ」

さらに詳しく話を聞くと、酒やドリンクのほか、菓子、つまみ、デザートなどの空き袋がトイレ内に散乱していることも多いという。ひどいときには一日三食、欠かさずに食べていっているようで、清掃担当者にも注意を促していると話した。聴き取り事実から被疑者像を想像するに、おそらくは路上生活者の仕業だろう。しかしながら、最近の路上生活者は若くて身ぎれいな人も多く、その判別が難しくなっている。被疑者につながる有力な情報は、決まって三階の男性トイレの個室内で飲食するという事実しかなく、捕捉するには自分のアンテナで発見するほかなさそうだ。勤務時間中にやられてしまえば自分の存在価値がなくなり、長年にわたって積み重ねてきた実績を失うことにもなりかねない。

状況把握のために店長に同行を願い、犯行現場である男性用トイレに行くと、扉を押し開けた店長が個室内を顎で指さすようにして言った。

「また、やられてるよ。ほら、これ見て！」

個室内をのぞき込むと、ウナギ弁当と寿司の空き容器のほか、ビールやエナジードリンクの空き缶、空になったハーゲンダッツのパックなどが、物置き台やペーパーホルダーなどの上に放置されていた。床を見れば、割り箸やタレのパッケージ、アイスのフタなどが散乱していて、好き放題にやっている状況だ。

「これは、ちょっとひどいですね」

「そうでしょう？　好きなだけ飲み食いして、片付けもしないでさ。本当に、腹が立つよ。しかし、こんなに臭いところで、よく食べられるよなあ。おれなんて、息もしたくないくらいなのに」

「このお弁当は、いつの商品ですか？」

「きのうの夜に出しているやつだね。最後の掃除が十時だから、それ以降の時間だよ。きっと、また来ると思うから、注意してみて」

現在時刻は午前十時。朝いちばんからおちおち休憩にも入れない状況に追い込まれ、なんとなく落ち着かない気持ちで現場に入った私は、出入り口と弁当売り場を中心に巡回することにした。

［変なヤツだな］

昼のピークを過ぎて、従業員が休憩を取り始めた十三時頃、二十代とおぼしき小太りの男が目に留まった。鼻につけた輪っかのようなピアスが気になったのだ。目に入った瞬間、いつものくせで男性の風体を確認すると、耳や口、眉のあたりなどにも無数のピアスが刺さっている。ベテラン保安員であれば感じることだと思うが、いわゆる違和感がある人を見つけたときには自然と心がざわつく。注意しなければダメな人だと体が教えてくれるのだ。

ホームレスは腹にたまるものを盗む

自分の直感を信じて、カゴを持つことなく両手をズボンのポケットに突っ込んだまま店内を歩く男性の後を追うと、弁当売り場に直行した。そこで、マグロづくしのにぎり寿司（千二百円）を二パックと海鮮あんかけ焼きそば（四百九十八円）、それにとろろそば（二百九十八円）

を手に取って重ね持ち、ドリンク売り場に向かって歩いていく。

「こいつ、トイレのやつにちがいない」

冷蔵棚の扉を開けた男性が、ドリンクを手にした瞬間、間もなく犯行に至るという確信を得た。トイレの個室内に放置されていたエナジードリンク（百九十八円）とまったく同じドリンクを手に取ったのだ。続けて、乳製品が並ぶ冷蔵品コーナーでカマンベールチーズ（三百六十八円）とシュークリーム（百四十八円）を選んだ男は、人けがない階段を上がっていく。気づかれないよう踊り場を利用して追尾すると、そのまま三階のトイレに入った。息を殺して耳を澄ませると、施錠された個室内から弁当のパッケージを開ける音が聞こえてくる。その瞬間、扉の上部に手をかけて懸垂の要領でよじ登った私は、室内にいる男に向けて怒鳴った。

「おい、こら。カネ払ってないのに、食ったらダメだろ」

「す、すみません」

「早く出てきてくれる？」

「はい、ちょっと待ってください」

逃走や立てこもりを危惧しながら、個室から男が出てくるのを待っていると、ズボンのチャックを上げる音に続いてベルトを閉める音が聞こえてきた。どうやら尻を出しながら食事をしていたようで、どんな環境で暮らしてきた人なのか気になる。水を流す音とともに、個室の扉が開くと、気まずそうな顔をした男が床を見ながら出てきた。

「すみません、本当にごめんなさい」

「悪いけど謝ってすむ問題じゃないよ。あんた、何度もやっているだろ？　ゴミも片付けないでさ。お店の人、怒ってるよ」

　私の言葉に反応して、個室内に散らばるゴミと盗品を片付け始めた男は、それらを腕に抱えてあらためて出てきた。証拠保全のため、食べかけの海鮮あんかけ焼きそばと飲みかけのエナジードリンクだけは預かり、そのほかの商品は本人に持たせて事務所に向かう。応接室に入り、未精算の商品をテーブルに並べさせると、にぎり寿司ととろろそばは、すでに完食されていた。カマンベールチーズとシュークリームは未開封の状態で回収できたが、トイレに持ち込まれているため商品として売ることはできない。被害合計は四千円ほどだったが、男の所持金は皆無で、立て替えてくれる人の心当たりもないと話している。

　身分を証明できるものがあるか尋ねると、自動車免許証を提示した。それによると、男は二十二歳。住所が宮城県内になっているので不審に思って確認すると、この店の近くにある団地の敷地内に止めたワンボックス車のなかで生活していると答えた。

「ご家族は、宮城にいらっしゃるの？」

「いえ、大震災のときに、みんな死にました」

　かわいそうなことを聞いてしまい言葉を失っていると、男が小さな声で話し始めた。

「僕が学校に行ってるあいだに、両親と祖母が流されちゃって、みんな死んじゃったんです。親戚もいないから、十八まで施設で暮らしていました。就職が決まって、そこを出たんですけど、寮で先輩とケンカしてやめちゃってから、ずっと仕事が見つからなくて……」

話によるとかわいそうな境遇にあるようだが、鼻につけた輪っかと顔のいたるところに刺さる待ち針のようなピアスが、湧き上がる同情心を打ち消していく。かける言葉を探していると、これまで黙って話を聞いていた店長が、寂しげな顔で感傷的な雰囲気を醸し出す男に言った。

「いろいろあって大変みたいだけど、人様のモノに手をつけたことに変わりはないから。警察が来るまで、そこでおとなしくしていろよ」

間もなく臨場した警察官に警察署まで連行された男は、その後の調べで、根城としていたワゴン車まで盗んでいたことが判明。そちらの容疑で逮捕され、万引きの件は別の日に調べることになった。後日、刑事から震災時の話は本当のことと聞き、やるせない気持ちにさせられた。

遺影

当日の現場は、都内有数の繁華街に位置するスーパーSだった。東京の名所といえる街の中心にあるため、地元の客以外に酔客やホームレス、外国人観光客なども数多く来店する中規模総合スーパーだ。長いことお世話になっている現場だが、老舗店であるために構造が古く、私たちの逃げ場所になるトイレも和式で汚いので、正直なところを言えば入りたくない現場の代表格だ。

生魚と精肉、総菜の揚げものを作る安い油の臭いを嗅がされながら事務所に向かい、古くさいトイレ用芳香剤のにおいが充満する事務所に入ると、いまの菅義偉総理に似た顔なじみの店長が出迎えてくれた。

「本日も、よろしくお願いいたします」

「ああ、きょうは、あんたの日か。相も変わらずたくさんいるから、なるべくデカいのを挙げてきてよ。カップ酒一本とか、おにぎり一個とか、そういうのは、もういいからさ」

「お気持ちはわかりますけど、マークしている人もたくさんいますし、一度見ちゃったら、それを見逃すわけにはいかないんですよ。とにかく、なにかあったら、お願いしますね。面倒なことは、こちらで全部やりますから」

「はいはい、全部警察に突き出してやろうね」

豊富な商品で埋め尽くされた店内はどこを見ても雑然としていて、なにが起こるかわからない雰囲気を醸し出している。だからこそ、万引き犯たちに狙われてしまうのだろう。彼らは忌み嫌われる害虫と同じで、古くて暗く雑然とした売り場に集まってくるものなのだ。

大物をほしがる店長のざれ言は無視して、たとえ一点であっても見逃さない気持ちで業務を始めると、一時間ほど経過したところで過去に捕らえたことがある地元で有名な女性のホームレスが入ってきた。彼女の姿を見るのは二年ぶりくらいのこと。まだ五十代後半と若いこともあって、意外と小ぎれいで異臭を放つこともないので、ホームレスには見えない。でも、ところどころに穴が開いた上着を見れば、その生活背景が垣間見えるようだ。

「また、やりにきたのかな？」

ホームレスの捕捉は、店の人をはじめ警察からもいやがられる。そのニオイや状況、自ら刑務所入りをめざすいわゆる志願兵がいることもあり、さまざまな事情から扱いを敬遠されてしまうのだ。

ましてやこの女は地元の有名人で、なにかあると大声でわめき散らすフダ付きの嫌われ者だった。捕まえたとしても誰も喜ばないのでなるべくなら関わりたくないというのが本音だが、前に捕らえた人の再犯行為を見過ごすわけにもいかない。きょうはやらないでくれと心の中で願いながら女の行動を見守ると、願いむなしく犯行に至ってしまった。パック入りの日本酒とおにぎりを二つずつ、持参のレジ袋に隠して外に出たのだ。以前に声をかけたときには、関係ないからと大声を出して逃走を図った。今回は逃走を防止するために腰元を押さえながら、油断なく声をかける。

「こんにちは。またお会いしましたね。お元気でしたか？」

「へ？　あんた、誰だっけ？　役所の人？」

「いえ、ここの保安員ですよ。袋に入れたお酒とおにぎり、お金払っていただかないと」

「ああ、思い出したわ。いつもお世話かけて、申し訳ない」

以前とは違って殊勝な態度で同行に応じてくれたので、どこか拍子抜けした気持ちで女を事務所まで連れていくと、私たちに気づいた店長が事務所のカギを閉めて入室を拒絶した。扉の脇にある小窓を開き、私を呼び寄せた店長が、小さな声で話す。

「どうせまた、酒とおにぎりだろ。悪いけど、相手をしている暇はないよ」

「はい、お察しのとおりですけど……。どうしたらいいでしょう？」

「買い取りもできないだろうから、駅前の交番に置いてきてくれる？　出入り禁止と厳重注意でかまわないから」

「はあ」

いつ大声を出されるか不安に思いながら腫れ物に触るような気持ちで状況を説明して、少し酔っている様子の女と一緒に駅前交番に向かう。駅前交番までは歩いて五分ほど。話すことも特になく、重い雰囲気のなかを無言で歩いたせいか思ったよりも遠くに感じられた。

「お疲れさまです。万引きした人を捕まえたんですけど、お願いできますか？」

「あ！　また、あんたか。おたくの話は、もう聞き飽きたよ。少しは、調書取る身にもなってくれないかな。同じ話ばかり聞かされて、たまったもんじゃないよ……」

交番にいた警察官に声をかけると、女の顔を見るなり目を背けていやみを言った警察官は、仕方ないといった様子でパイプ椅子を広げて女を座らせた。

「いつも世話かけて、申し訳ありませんね……」

酒のニオイが混じった大きなため息をついて疲れ果てた様子で腰を下ろした女は、息を吸うのも苦痛だと言わんばかりに顔を歪めて目をつぶった。私が座るところは見当たらないので女の脇に立って現認状況を説明していると、しばらくのあいだ興味なさげに話を聞いていた警察官が突然立ち上がって叫んだ。

「おい！　あんた、大丈夫か!?」

その声に驚いて女を見ると、目を見開いた状態で天井を見上げるような姿勢で気を失っていた。慌てて頭を支えて肩を叩き、頰を叩いて反応を探ってみるも、意識が戻る様子はない。慌てる警察官と二人で力を合わせて、そっと床に寝かせて反応をうかがうも状況は変わらず、すっかり狼狽した様子の警察官は声を震わせながら警察無線で救急車を要請している。

「ちょっと難しいかもしれませんねえ」

交番に到着した救急隊員が、女の瞳孔を確認して、脈をとったあとに言った。救急車で搬送されていく女を見送り、気を取り直すようにして万引きの件についての事情聴取を受ける。しばらくすると、一本の電話を受け終えた警察官が神妙な面持ちで言った。

「あの人、ダメだったって……。別の調べも必要になるから、ちょっと時間かかるよ。おれも残業だから、一緒に頑張りましょう」

「そうでしたか。ちょっとよけいなことをしちゃったような気持ちですよ」

「暴れたところを取り押さえたわけじゃないんだし、まったく問題ないから気にしないほうがいいですよ。亡くなったとはいえ、悪いことしたのは、あっちなんだから」

警察署に移動して取り調べを受けていると、万引きした被疑者と故人が同一人物であることを立証するために、面通しをすることになった。まさか遺体安置室まで連れていかれるのかと思いきや、司法解剖などがあるため遺体の写真でやるらしい。写真とはいえ、自分の捕らえた被疑者の遺体を見るのは、これが初めてだった。微妙な顔見知りという立場にある人の亡きがらに接することが、これほどまでに重たいことだとは思いもよらなかった。その夜は、わが家の食卓にカップ酒とおにぎりをお供えして、彼女の冥福を心から祈って休んだ。

緊急事態宣言下に捕まえた女装ホームレス男

私の仕事はテレワークなどとは縁がない職種で、新型コロナウイルスによる緊急事態宣言が発令されて以降も、普段と変わらず現場に入っていた。人混みのなかで不審者を探し出し、捕捉時には被疑者に密着。事務所まで被疑者に寄り添って連行して、密室としかいえない事務所や警察署の取調室で事後対応に追われている。まさに三密（密閉空間、密集空間、人との密接）の状態に身を置かざるをえない状況で、マスクを外して深呼吸できる場所などは皆無。本音を言えば、発症してのどにガラスが刺さるような痛みは味わいたくもないので、自宅で静かに自粛していたいところだ。しかし、お客さままである商店が営業している以上、私たちが休むわけにもいかない。この不安定な情勢下にあって、通常業務につけるだけでもありがたい。そう思いながら、日々の業務をこなしている。

一部の商品を除いて、ようやく買い占め行為は落ち着いてきたが、売り場関係者の疲弊は限界を超えているように見える。マスクの争奪戦は相変わらずで、開店待ちの行列はもはや見慣れた光景になった。入荷がない旨の告知を店頭に張り出しているにもかかわらず、その行列が絶えることはない。店員にマスクの入荷日を問い合わせて不明だと答えられた七十代とおぼしき男性が、在庫を隠し持っているのではないかと詰め寄る場面も目にした。マスク未着用の来店者に対する風当たりも強く、その人が咳払いを一つしようものなら周囲の人からにらまれるといった具合に、どこの売り場も殺伐としている。ただでさえ身の危険を感じる仕事であるうえ、咳ひとつ自由にできない雰囲気のなかで自然と緊張しているのか、普段よりも疲れがひどい。近所の天然温泉にでも行きたいところだが、営業自粛中のため、自宅の小さな湯船に入浴剤を沈めてお茶をにごしている状況だ。

さて、コロナ禍での緊急事態宣言下の自粛期間中に捕らえた女装万引き犯について話そう。

当日の現場は都内南部に位置する総合スーパーYだった。商業ビルの地下にある店で、生鮮食品を含む食料品のほか、酒や日用品、ドラッグコスメなどを扱う中規模スーパーだ。近くにある公営ギャンブル施設とは関係ないのだろうが職業不詳の人たちが数多く来店するのが特徴で、一日あたりの捕捉数が多い現場の一つといえる。この日の勤務は十時から十八時まで。ワンフロアの広い店内は死角が多い構造で、盗ろうと思えばなんでも盗れる状況にある。バックヤードにある事務所に入店の挨拶にいくと、顔なじみの店長が開口一番に言った。

「おはようございます。きょう入りますので、よろしくお願いいたします」

「あ、どうも。きょうは、出入り口にあるアルコールとトイレのペーパー在庫にも注意してくれる？　出すたびに、やられちゃって、まいっているの」

トイレに置いてある予備のトイレットペーパーの一つひとつに店の名前が書いてある状況に、どこか恥ずかしさを感じるのは私だけだろうか。一連の買い占め騒動以降、店の備品であるトイレットペーパーやアルコール液のプッシュボトルを持ち去る備品泥棒が増加していて、どの店も対応に苦慮しているのだ。

「最近、すごく多いんですよ。なにかで固定しないと、すぐに持っていかれちゃいますよ」

「そうだよねえ。ちょっと忙しくて、すぐにはできないから、きょうはよろしくね」

「承知しました。ほかに注意することは、なにかありますか？」

「ああ、そうだ。きょうのレース、コロナの影響で無観客なんだってさ。だから、いつもより落ち着いていると思うよ」

この店は、レースの開催日に合わせて保安員を導入している。この日のレースは無観客開催ということで、いつもの職業不詳の人たちの姿は現場になく、目につくのは自粛の準備にいそしむ家族連ればかりだ。勤務の後半に入っても現場は落ち着いたままで特に気になる人は見つけられず、店内は平和な雰囲気に包まれていた。

「きょうは、ないかもしれないな」

勤務終盤、退屈からくる眠気と闘いながら店の出入り口を眺めていると、一見してホームレスに見える男が、黄色いミニスカートと水色のハイヒールの女装姿で店に入ってくるのが見えた。おそらくは六十歳前後くらいだろうか。羽織っているブルーの派手な刺繍のジャンパーをはじめ身に着けているものすべてが薄汚れて見えるが、白いストッキングが筋肉質の細い足を際立たせていた。

「**なにを買いにきたのかな? どうみても、お金は持っていなさそうだけど……**」

そっと近づいて後を追うと、胸の膨らみもちゃんとあるなかなか本格的な女装男は、迷うことなく化粧品売り場に直行した。恐る恐る表情をうかがえば、つけまつげを接着剤でつけているのか目の周りがバリバリになっていて、終始目をパチクリさせている。間もなく、つけまつげセットとつけ爪セットを続けて手にして、それを重ね合わせると躊躇することなくその場で上着のポケットに隠した。続けていくつかの口紅とマニキュアを手に取って、それらもポケットに隠していく。周囲を警戒することなく、平気な顔で犯行に及んでいるところからすると、ずいぶんと手慣れているようだ。気づかれないよう距離を置いて後を追うと、出口に向かう途中、最後に焼き肉弁当とカップ酒を棚取りした女装男は、それをおなかの前で抱えたまま外に出た。地上出口につながるエスカレーターに乗り込んだ女装男が、上階の床板を踏み越えて店の敷地を出たところで声をかける。

「こんにちは、店の者です。お金払わないで、持っていったらダメですよ」

「あら、いやだあ。あんた、見てたの？　お金ないし、これ返すから、許してくれない？」

まるで慌てることなく、意外なほど人懐っこい笑顔で応じた女装男は、卒業式で賞状を渡すときに似た動きで焼き肉弁当とカップ酒を差し出した。ガサガサの唇に塗った真っ赤な口紅と顔に似合わぬ水色のアイシャドーが、不気味さを際立たせている。

「それだけじゃないでしょ。全部出してもらわないといけないから、事務所まで一緒に来てもらえます？」

「ここで勘弁してよ。お金は、一銭もないし、全部返すから。ね、お願い」

「ダメですよ。さあ、行くよ」

埒が明かないので腰元をつかんで少し強引に歩き始めると、意外と素直に歩を進めてくれた。おそらくは、自分の趣味もあって身なりには気を使っているのだろう。着衣は汚れているものの臭いはないので、腰をつかむ気になったのだ。事務所までの途中に逃げられないよう気をそらすべく、いくつかの質問をぶつけてみる。

「化粧品は、ご自分で使うために？」

「うん。コロナで、いつ死ぬかわからないから、きれいにしておきたくてね」

「お家は、ありますか？」

「そこの川に住んでいるのよ。ダンボールじゃなく、トタンの家なの」

そんな会話をしながら事務所に向かい、応接テーブルに盗んだ商品を出させると計七点、合計八千円ほどの商品が出てきた。話を聞けば、ここからほど近い川原で暮らしているという男性は五十七歳。所持金や身分を証明するものは皆無で、身寄りはなく、商品代金を立て替えてくれるような人も用意できないと話した。前に座る男性の顔をふと見れば、鼻がつぶれていて、鼻先が二つに割れている。しばし目を離せずにいると、私の視線に気づいた男性が恥ずかしそうに話し始めた。

「整形で失敗しちゃったの。安いとこはダメね。これで人生台なしよ」

その後、警察に引き渡された男性は逮捕されることになり、店内で実況見分をおこなうことになった。犯行状況を明確にするため、盗んだ商品の陳列棚や隠匿した位置、逮捕した場所などを指さした女装男の写真を撮影する。

「そこを指さしたまま、こっち向いて」

「はいはい」

するとあろうことか、満面の笑みを浮かべた女装男は、警察官に向かってピースサインをして見せた。

「おい。お前、なめてんのか？」

息子ほど年齢が離れた警察官に怒られて肩をすくめた女装男の作りものの胸が、それと同時に大きくズレて、思わず噴き出した。結局、ホームレスの逮捕をいやがったらしい警察が店長をなだめて厳重注意ですませることになり、女装男は解放されて河川敷に帰った。

老女たちの悪事

フードコートに巣くう老女

店舗から指名されるのは非常に栄誉なこと。そう信じてやってきたが、ここのところ長年にわたって指名してくれている現場での勤務がひどく苦痛になってきた。買収されて店名が変わったせいで、過去に検挙して出入り禁止にした複数の老女グループが舞い戻ってきて、店の出入り口脇に新設されたフードコートにたむろするようになってしまったのだ。彼女たちの行動は相変わらずだが、私の正体はバレてしまっているので、まったく仕事にならない。見張り役とおぼしき老女に存在を認知されると同時に、犯行を中止されてしまうのだ。どうやら過去に捕らえた老女が周囲のグループにまで正体を吹聴しているようで、なかには私を指さしてくる人までいる始末。これらの状況を伝えて勤務を断ってみたが、人手不足の関係でダメだった。ここでは、食品スーパーのフードコートに巣くう老女グループの生態を暴いていこう。

くだんの現場は関東近郊の新興住宅街に位置するスーパーTだった。食品のほかに日用品も扱う中規模スーパーで、来店者の八割が高齢者といった雰囲気の店だ。この店のフードコートには三、四人の集団で構成された七十代とおぼしき老女グループが複数存在していて、そのほとんどが毎日のように来店する。

「未精算商品の持ち込みはご遠慮ください」

「フードコートのご利用は、一時間以内でお願いいたします」

「購入したものを飲食する際は、店員に声をおかけください」

フードコート内には三つのルールが大きく掲示されているが、まるで効果はみえない。開店間もなく来店し、サーバーで無料提供の水やお茶を片手に試食のパンを頬張りながら、延々と終わらないおしゃべりに興じて、夕食時までの長時間にわたって居座り続ける人ばかりなのだ。試食が出るタイミングや割引シールを貼る時間なども完全に熟知していて、目当ての商品を朝から手元にキープしている人も目立つ。割引シールを貼る係の店員が現れると同時に、朝からキープしてきた商品を差し出してシールを貼らせるのも、老女グループのメンバーにとっては普通のことだ。店側は、特別扱いできないと丁重に断るが、経験が浅いアルバイト店員を狙って声をかけてシールを貼らせ、「客を差別するのか」などと怒鳴りつけてまで目的を達成していく。

なにに使うのか、売り場の各所に配備されたビニール袋を大量に持ち去るのは当たり前で、そのビニール袋に醤油や割り箸、試食のパンなどを詰め込んで持ち去る猛者まで存在する。過去には、トイレットペーパーや芳香剤などトイレ備品を専門に盗んでいく人や、あろうことかフードコート内で鼻毛を切る人も見た。その光景を目撃したときにはあまりの品のなさに言葉を失い、異次元の世界に来たような気分にさせられたものだ。
それだけならまだしも、弁当やパン、和菓子など、未精算の商品をフードコート内に持ち込み、金を払わないまま食べてしまう老女も大勢いる。まるで自宅にいるかのように振る舞う老女たちの厚かましさは、とてもまねできるものではなく、その姿を見るたびにこちらが恥ずかしくなるほどだ。

万引き行為に及ぶときには、役割分担をしているのか全員がバラバラに行動をして、それぞれが不審な行動をとる。さほど広くない店内ではあるが、一人の目で三人の行動を把握するのは難しく、的を一人に絞れば見張り役の仲間に気づかれる。彼女たちによる周囲への目配りは異様なほどで、不用意に近づけばここぞとばかりにクレームを入れてくるから始末が悪い。高齢者万引きの共犯関係はそもそも比較的珍しい事案といえ、ここまで完成された高齢者の万引きグループは見たことがない。どうにかして捕まえたい。その一心で警戒にあたるものの、捕捉は困難を極め、なす術がない状況だった。

摘発のチャンスは突然に訪れた。午前中におにぎりとカップ酒を盗んだホームレス風の男を捕まえ、警察に引き渡して店に戻ると、老女グループのリーダーらしき女が珍しく一人で店内を徘徊していた。おそらくは、私の姿がないことを確認して油断していたのだろう。米や日本酒、アマニ油、和牛ステーキ肉などの商品をカート上のマイバスケットに入れた女は、私の視線に気づくことなく、商品を満載したカートをフードコート内に持ち込んだ。フリーサーバーで手に入れた紙コップ入りの緑茶を片手に店内の様子が見渡せるいつもの席に着くと、犯罪者特有というべき鋭い眼光で周囲の様子をうかがっている。その顔つきはまるで人殺しのようにおそろしく、ちょっと不安を覚えた。

〔**外に出るまで、こちらを見られないようにしないと……**〕

動きがないまま二十分ほど経過したところで、女とは違うグループの老女二人組がフードコートに現れた。すると、どこか居心地が悪そうな顔で立ち上がった女は、使用したカートはそのままに、未精算の商品を入れたマイバスケットを左手に持って歩き始めた。絵に描いた鬼ばばのような顔で後方を振り返りながら店の外に出た女に近づいて、そっと声をかける。

「店内保安です。なんで声かけられたか、おわかりですよね」

「あら、いやだ。また、あなたなの。みんなやっているのに、なんで私ばっかり」

「そんなの関係ないですよ。ちょっと事務所まで来てもらえますか」

「いやよ、離して。これ、返すから！」

年齢にそぐわぬ力強さで商品が満載されたカートを振り回した女は、それを私の右腕にぶつけて逃走を図った。痛みをこらえて追いかけると、すぐ近くに駐車した古い軽自動車の扉に鍵を差し込もうとしているが、激しい手の震えのためにうまくできないでいた。車と女の間に割り込むように、女の震える右手を押さえた私は、努めて冷静な口調で問いかけた。

「ちょっと、落ち着いて。事務所まで来てくれたら、それで大丈夫だから」

「いやよ。どうせまた、すぐに警察を呼ぶんでしょう。あたし、あんたのせいで三十万もとられたのよ。〔商品は〕返したんだから、それでいいじゃない」

私に捕まえられたことで罰金刑を受けたことがあると主張されるも、まるで記憶に残っていない。

事務所への同行を促しても、腰を落として歩こうとしないので途方に暮れていると、先ほどフードコートに現れた二人組の老女が店から出てきて言った。

「ちょっと、Tさん。あんた、なにしてんのよ。いったい、どうしたの」

「ううん、なんでもないの」

顔見知りらしき老女たちに声をかけられたことで我に返ったらしい女は、ようやく事務所への同行に応じた。

「あんた、なんであたしばっかりいじめるんだよ。近所の人にまで見られて、恥ずかしいじゃないか……」

いまさら逃げても仕方がないことを悟ったらしい女は、警察に引き渡されると執行猶予中の身だと判明。これを最後に、この店のフードコートから姿を消した。

この件以降、加勢してくれた老女グループの人たちからことあるごとに不審者情報を伝えられるようになった私は、より一層居心地が悪い現場で仕事をするはめになった。いてくれるだけで防犯になると店長は喜んでくれているので、もうしばらくのあいだは抜け出せそうにない。なにもないのが、いちばん大事。保安の仕事は本来そういうものなのだと、この仕事の奥深さを噛み締めている。

店長の葬式

休日の夜は、もっぱらＤＶＤでの映画鑑賞に時間を費やし、英気を養っている。酒を片手に、製作協力した『万引き家族』を観ていると、休日には気を使って連絡してこない事務所から珍しく電話がかかってきた。

［**警察から呼び出しでもあったかな**］

警察は、供述調書などの誤字・脱字の訂正印をはじめ、証拠写真の追加や撮り直しなどが必要な場合、時間や暦に関係なく連絡してくる。どの件かと最近の取り扱い事案を思い浮かべながら電話を受けると、いつもは明るい部長が重苦しい雰囲気で言った。

「お休みのところ申し訳ありません。実は、訃報が入りまして……」

聞けば、私のレギュラーシフトに入っているＨ店の店長が、昨夜、脳溢血で急逝したというのだ。享年四十二歳。十年ほど前から店長を務めている笑顔がすてきな好青年で、保安員の仲間内でも人気が高かった。最後に会ったのは二カ月ほど前のこと。いま振り返れば、少しいやな思いをさせてしまったので、あれが最後だと思うと申し訳ない気持ちになる。ここでは、供養のためにもその日のことを振り返りたい。

勤務開始、五分前。店内の一角にある事務所に向かうべくエスカレーターで階下に向かっていると、ペットボトルの飲料水（二リットル）が入ったダンボールと十キロの米袋を抱えた店長が反対側の上りエスカレーターに乗って上がってくるのが見えた。荷物を抱える店長の背後にはとても小さなおばあさんがたたずんでいて、骨の形が浮き出た油気がない手で店長の腕にしがみついている。すれ違いざまに、店長と目が合ったので黙礼をすると、すぐに戻るので事務所で待っているようさわやかに指示された。おばあさんは孫と買い物にきたような雰囲気で、どこかうれしそうに見える。

「あのおばあさんには、開店当初からお世話になっているんですよ。最近、ご主人が亡くなったうえに、足腰が悪くなっちゃって、重い物を買われたときには家まで運んであげているんです」

事務所に戻った店長は、額に輝く汗をハンドタオルで拭いながら充実感あふれる表情で話した。いやな顔ひとつ見せずに客に寄り添う店長の姿に、頭の下がる思いがしたのは言うまでもない。

その日の夕方、なにげなく店の出入り口を観察していると、朝方に見かけたおばあさんがエスカレーターで下りてくるのが見えた。朝とは違って妙に周囲を気にしながら歩く姿が、どうにも気にかかる。よく見れば、使い古された空のレジ袋を隠すように握っていて、その持ち方から判断するにマイバッグに使用するとは思えない。そのまま目を離さないでいると、漬物売り場で足を止めたおばあさんは、少し大きめの袋に入った塩辛を二つ続けて手に取った。

「え？　ここで入れちゃうの？」

その場で持参のレジ袋を広げて堂々と二つの塩辛を入れたおばあさんは、レジがない入り口のほうに向かってよちよちと歩いていく。途中、青果売り場で品出しをしている店長とすれ違ったが、気づかれることなく通過していた。チラチラと後方を気にしながらエスカレーターに乗り込んだおばあさんが、店の外に出たところで声をかける。

「警備の者です。おばあちゃん、塩辛のお金、払うの忘れたでしょ？」

「ヒッ！　あ、え？　そ、そうだったかねえ……」

苦笑いで取り繕いながらも素直に犯行を認めてくれたので、事務所までの同行を促すと、不意に左手を差し出したおばあさんが言った。

「手をつないでもらっていいかしら？　ヒザが痛くて、うまく歩けないのよ」

二人手をつないで事務所に入ると、特価品のＰＯＰを作成していた店長が、私たちの姿を見て目を丸くしている。

「おばあちゃん、どうした？　具合でも悪くなっちゃったの？」

「いや、そうじゃないんだけど……」

もじもじと言葉を飲み込むおばあさんにかわって私が状況を説明すると、店長は口をあんぐりと開けて絶句した。

被害品は塩辛職人なる商品が二点で、被害金額の合計は八百五十九円。身分を証明するものも持っていないが、店長が自宅を知っていることもあって、そこは重視されない。おばあさんの年齢は九十一歳。足腰の状態はよくないものの受け答えはしっかりしていて、年齢よりは若い印象を受けた。

「買えるだけのお金は、お持ちですよね？」

「申し訳ないけど、お財布を忘れてきちゃったから、一度家に行かないと用意できないねえ」

家に忘れた財布を取りに帰るのが面倒で盗んでしまったと話しているが、空のレジ袋と家の鍵は忘れずに持ってきているので、ちょっと信用できない。いずれにせよ、現在の所持金がゼロということにちがいはなく、面倒な展開になる気配が漂い始めた。しばし沈黙が流れたあと、悲しげな顔の店長が、寂しそうな口調でおばあさんに語りかける。

「……ねえ、おばあちゃん。おれたち、毎日挨拶する関係だよね？　おれ、おばあちゃんの家にだって、何度も行っているよ。なのにどうして、こんなことするのよ。もしかして、いつもやっていたの？」

「いつもってわけじゃないよ、ちょっとお金を忘れてきちゃっただけだよお」

「いままで、たくさんの万引きを扱ってきたけど、こんなに悲しいのは初めてだよ。いままで、いちばん悲しいな。それ、買ってくれなくていいからさ、今後、うちの店には二度と来ないで。出入り禁止ね！」

「店長、悪かったよお。ここがいちばん近くて便利なの、知ってるだろお。もう絶対にしないから、許しておくれよお……」

願いかなわず、立ち入り禁止の誓約書に署名させられたおばあさんは、盗んだ商品を返還することで警察に引き渡されることなく帰宅を許された。店の外に出るのを確認する意味もあって一緒にエスカレーターに乗り込むと、おばあさんが私の袖口をつかんで言った。

「あんた、こんな年寄りをいじめて、本当に悪い人だよ」

なにも返す言葉が見つからず、おばあさんの背中を見送って事務所に戻った私に、全身に悲壮感をまとった店長が言った。

「大事なお客さんだと思って接していたのに、本当にショックですよ。万引きが減るのはいいけど、お客さんまで減っちゃうと困りますよね。今夜は、眠れそうにないな……」

自分の仕事を全うした結果、関わる人たちにいやな思いを残してしまった現実が重く、この日は複雑な気持ちを抱えたまま帰路についた。
通夜当日、ご焼香を終えて会場を出ると、記帳の列に、あのおばあさんの姿があった。なにげなしに後方を振り返れば、すてきな微笑を浮かべた店長の遺影が煌々と輝いている。
［きっと許してくれるよ］
心のなかでおばあさんに声をかけた私は、少し晴れやかな気分で一粒の涙を落とした。人のつながりは捨てたものじゃないのだ。

電動車いすの老女

ここのところ捕捉に至るのは高齢者ばかりで、日常の業務で介護的な要素が強まってきた。当然のことながら足腰の悪い人が多く、事務所まで来てもらうだけのことにもひと苦労だ。ようやく事務所に到着したと思えば会話が成立しないことが多々あり、手の震えが止まらずに自分の名前さえも書けない人もいれば、住所や生年月日、電話番号などを正確に言えない人まで存在する。最終的には警察に引き渡すほかないが、彼らの扱いに困るのは警察も一緒だ。特に、被疑者に前科があり、ヤサなし、カネなし、ガラウケなし（家がなく、所持金もなく身柄引受人もいない）といった逮捕要件がそろってしまう場合には目も当てられない。腰が曲がった老人といえども逮捕するほかないので、特にいやがられてしまうのだ。そのため、あからさまに被害届を出させないように仕向けてくる警察官も一部の地域で存在していて、犯罪処理での地域格差のようなものを感じることも少なくない。ここでは、少し前に捕まえた電動車いすに乗ったおばあさんについて話していく。

当日の現場は、東京の下町商店街に位置する食品専門スーパーEだった。見るからに高齢化が著しい地域で、店があるアーケード型商店街のメイン通路は、杖をついて歩く人や施設の介護者などに車いすを押してもらうお年寄りの姿ばかりが目立つ。

この店の開店時間は午前九時。それに合わせて現場に入ると、平日の早い時間にもかかわらず、すぐに多数の客が入ってきた。店内にあふれる客には、朝から酒の臭いを漂わせる筋肉質の作業員風の男性や妙に不審な動きをする高齢者が多数混在している。勤務開始早々から万引きしているだろう人を二人見かけたが、いずれもタイミングが合わずに現認不足になり、声をかけず見送ることになった。

いままでの経験からすれば、この店で捕捉がない日はない。少しイラついた気持ちを落ち着かせるべく見通しがいい中央通路にたたずんでいると、この店いちばんの死角である日用品売り場に黄色の電動車いすに乗った高齢女性が入っていくのが見えた。曲がり際に不自然なほど後方を気にしていたのが、どうにも気にかかった。最大限の早足で駆けつけて彼女の行動を見ていると、膝の上に載せたカゴにある総菜や果物などの商品を、次々と自分のバッグに移し替えているのが見えた。これまでノーマークだったために棚取りは一つも見ておらず、このまま店の外に出られてしまえば、またしても見送る結果を招く。タイミングが合わないときは、なぜかこういうことが続いてしまうのだ。しかし、彼女の大胆な所業はこれにとどまることなく継続された。精肉や和菓子などいくつかの商品を棚から取ってカゴに入れると、まるでそうするのが当たり前といった動きで自分のバッグに隠したのだ。

それから白菜や長ネギ、モヤシなど比較的安価でかさばる商品だけきちんと精算をすませた彼女は、お客さま係に見送られながら、屋外の駐輪場に直結するエレベーターに乗り込んだ。思い切って同じエレベーターに乗り込んだ私は、すぐに行き先ボタンを押して扉を閉めた。地上階に到着するまでのあいだ窃盗の被疑者と二人きりで過ごすエレベーター内の空気が、いつもより重たく感じられた。

「お先にどうぞ」

「ありがとう」

先に彼女を行かせて、電動車いすが公道に出て走り始めたところで横に並んだ私は、あらためて声をかけた。

「おばあちゃん、ちょっと待って。店の者ですけど、お金払ってないものあるでしょう?」

「ヒーッ!?　なんだって?」

少し驚いた様子を見せた彼女は、口のなかでずれた入れ歯を直しながら、コンドルのような鋭い目で私をにらんできた。どうやら聞こえなかったようなので、膝の上にある盗品を詰めたバッグを軽く叩きながら、もう一度ゆっくりと、少し大きめの声で言い直す。

「店の者ですけど、このバッグに入れたモノ、お金払ってほしいんですよ」

「あら、そうだったかしら?　もう今年で九十になるから、忘れちゃうのよ。堪忍ね……」

とぼける姿勢を見せながら用意していたかのようにスフスラと言い訳する彼女の姿からは、こうした場面に慣れているような雰囲気が伝わってきた。見え透いた言い訳に耳を貸さず、電動車いすに乗った彼女をエレベーターまで連れ戻すと、さっき乗ったときには感じなかった異臭が室内に漂ってくる。

「臭い……。いったい、なんのニオイだ？」

エレベーターに乗っているあいだ、なるべく息を吸わないようにして過ごした私は、扉が開くと同時に外に出て、廊下に置かれた書類などを除けながら電動車いすを誘導する。応接室内に電動車いすの駐車スペースを確保して、バッグに隠したモノをテーブルの上に出させると、ステーキ肉や高級ハム、幕の内弁当、サクランボ、もみじまんじゅうなど、計八点、合計九千円ほどの商品が出てきた。盗んだモノを並べてみれば豪華に見えるが、一度盗まれたモノとしてみると、なぜか汚らしく見えてくる。

「きょうは、どうしたんですか？」

「年金だけじゃあ、おいしいもの食べられないから……」

「買い取るだけのお金はあるのかな？」

「それが全然足りないのよ。このお肉とメロンは、お返ししてもいいかしら」

土産物店で見かける古くさいガマグチに入っている彼女の所持金は小銭と合わせても二千円足らずで、すべての商品を買い取ることはとてもできない。身分を証明できるものも持っていないというので、仕方なく紙に連絡先を書いてもらうよう頼むと、心電図のような線で書かれた文字は解読不能だった。やむなく口頭での聞き取りを試みれば、入れ歯がずれてしまってうまくしゃべれない状況だ。できることがなくなり、内線電話で店長を呼び出して状況を説明すると、電動車いすで万引きするなんて人は初めてだと驚き、迷うことなく警察に通報した。身元がわからないことよりも、商品の買い取りができないことのほうが、通報の決め手になったと思われる。

間もなくして到着した警察官たちは、彼女の身元がはっきりしないことにイラつきを隠さず、仕方なく彼女を警察署に連れていった。電動車いすは、店の裏口に置くことになって、自力で歩くことができない彼女は、警察官が両脇を担いでパトカーに乗せられた。

その後の調べで八十九歳の独居老人であることが判明し、それと同時にいくつかの前科も明らかになり、この件は刑事課で扱うことになった。簡単に言ってしまえば、逮捕の可能性が高いといえる状況だ。

「ウッ！」

店での実況見分を終えて警察署に向かって刑事課に入ると、店のエレベーターで嗅いだのと同じ異臭が、自然に息を止めてしまうほど強く漂っていた。この場から離れたいという衝動をこらえて、担当刑事に異臭の正体を尋ねる。

「あの、すみません。すごくクサいんですけど、これはなんのニオイですか……」

「え？　あんた、知らなかったの？　あのばあさん、おもらししちゃってて、大変だったんだ。声をかけられたときに出ちゃったたって話していたから、てっきり気づいているかと思っていたよ。ほんと、クセえよなあ。きょうは、さんざんだ……」

臭いの正体を知ってよけいに気持ち悪くなった私は、書類ができるまで廊下のベンチで待つことにした。しばらくベンチに座っていると、両脇を警察官に抱えられ、物干し竿に吊るされた衣服のようになった彼女が私の面前を通過していく。詳しくは聞けなかったが、健康上の問題から拘留に耐えられないと判断されて在宅調べになり、私よりも先に帰宅を許されたようだ。およそ三時間後に書類ができあがり、署名・捺印をするために刑事課の取調室に戻ると、あれだけ強く漂っていた異臭はいつの間にか消えていた。

老女の恨み

これまで五千数百人以上の万引き犯を捕まえてきたが、印象深い被疑者や現在取り扱っている常習者を除いては、そのほとんどを記憶に残していない。日々さまざまな土地の現場を巡回しているので、自分の手で捕まえた犯人はおろか、店や警察の担当者の顔を覚えるだけでも大変なのだ。しかし、捕まえられた側からすれば、私の顔は忘れられないのだろう。私の声かけをきっかけに多額の罰金を支払ったり刑務所に行くことになったりした人は、なおさらのこと。なかには報復を望んでいる人もいるようで、過去には捕捉現場の店舗内で捜索され、しつこく追い回してくる人もいた。ここでは、拘置所から出てきた被疑者との望まぬ再会について話していく。

「あら、あんた。こんなところで会えるとは思わなかったわ……」

巡回中に激しい腹痛に見舞われて、現場近くの病院で診察を受けるべく待合室で待機していると、見知らぬ高齢女性から声をかけられた。あまりに痩せ細った体は骨と皮だけで構成されているようで、全体的に鳥をイメージさせる。

「見たことある人のような気もするけど、誰だっけ……」

痩せこけた「湯婆婆」のようにほほ笑む女性を前に、愛想笑いを浮かべて記憶をたどってみても、まるで思い当たらないので困惑する。すると、様子を察したらしい女性がいやらしくほくそ笑みながら言った。

「あんた、まだ、あのスーパーでやっているのかい？」

「え？」

鼻をかきながら上目使いに言う女性の顔は憎悪に満ちあふれていて、背筋に悪寒が走る思いがする。魔女のようにとがった鼻を掻く女性の皮張った手と、なじみ深い現場の店名をヒントに記憶をたどって間もなく、この女が事務室で大声を出しているシーンを鮮明に思い出した。

あれはたしか一年ほど前のことだった。巡回中、豚ロースのブロック肉や明太子、トマト、高級ウインナー、サランラップなどの商品をバッグに隠した女が金を払わずに店を出たところで声をかけると、話を聞く様子も見せずに立ち去ろうとしたのだ。

「ちょっと待って。そのバッグのなかのモノ、なにも払ってないでしょう？」

「あんた、なんなのよ。あたしは、ここの常連なのよ。そんな言いがかりをつけて、ただですむと思っているのかい？」

犯行の一部始終はこの目ではっきり見たので、どんなに否認されてもひるむことはない。たまたま近くにマネージャーがいたので手を借り、いやがる女を説得しながら引きずるようにして事務所

常習者ほど土下座をして許しを乞う

まで連れていくと、席に着いたとたんに不遜な態度でわめき始めた。

「あたしは、この店に何十年も通う上客なんだよ。あんたみたいな下っ端じゃなく、店長を呼んでおくれ」

「店長はお休みで、きょうの責任者は私です。おばあちゃんね、あなたは上客どころか、迷惑客ですよ」

　事務的に処理を進めるマネージャーを前に狼狽した女は、商品を隠したバッグを差し出すと、使い古されたガマグチから五千円札を取り出してテーブルの上に置いた。

「ここに入れちゃったから、払うのを忘れちゃったんです。ちゃんと払いますから、これで勘弁しておくれよ」

「盗った量も多いし、警察呼びますね」

「いつも来ているんだから、そんなこと言わないでおくれよ。実は、嫁があたしに冷たくするから、それがつらくてねえ……」

居直りが通用しないとみるや、息子の嫁にいじめられて毎日がつらいと泣きを入れ始めたが、見るからにクールなマネージャーの心を変えるには至らない。

「雨の日に限って、買い物と子どもの送り迎えを私に押し付けるような嫁なんだ。ロスだハワイだって、自分たちばっかり遊びにいって、あたしは自分の年金さえ自由にできないんだよ」

警察官が到着するまでのあいだ、嫁によるいじめの詳細を涙ながらに吐露し続けた女は、警察官の姿を見たとたんに態度を急変させた。

「こんなことくらいで警察を呼ぶなんて、ひどいじゃないか。あんたのこと、忘れないからね！」

その後、前歴があったらしい女は基本送致になり、当然のことながら逮捕者である私も警察署に同行することになった。犯行現場での実況見分をすませてパトカーで警察署に向かい、地域課の取調室でさまざまな書類を作成すること、およそ六時間。ようやく逮捕手続きを終えて廊下に出ると、ドキッとするほど大きな怒鳴り声が聞こえてきた。

「このくそババア、今回は許さないからね。もう家から出ていってもらうよ」

壁際に設置された背もたれがないベンチを見れば、取り調べを終えたらしい女がガラウケにきた嫁らしき人に見下ろされて座っていて、だらだらと涙を流している。

「あんたみたいな泥棒は、早く死ねばいいのにね。これ以上、私たちに迷惑をかけるなら、葬式も出してやらないから」

「も、もうしないから、勘弁しておくれよ……」

罵詈雑言を浴びせて女を責めるくだんの嫁らしき人の顔は、話しかける気が起こらないほどに冷たく、まるで汚物を前にしているかのような態度で女に接していた。

　本音を言えば近づきたくなかったが、署内の構造上、階下まで下りるにはベンチの前を通過するほかない状況だ。素知らぬふりをして、なるべく見られないようにそそくさとベンチの前を通過しようとすると、私の姿を見た女が突然顔を上げて叫んだ。

「全部あんたのせいだ！　あんたのことだけは、絶対に忘れない！」

　呪うような目で私をにらむ本人の目よりも、その横で軽いほほ笑みを浮かべて私を見つめる嫁らしき人の表情が印象的で、この女のことは記憶に埋もれてしまったようだ。

「ああ、あのときの……」

「あたしは、四十万円の罰金刑になって、労役に行かされたんだ。罰金を払えるような金はないし、家族にも立て替えてもらえなかったから、三カ月近くも拘置所で働かされたの。あんたのせいで、もう地獄だった」

「おれに、そんなこと言われても困るよ。悪いことをしたのはあんただし、罰を受けるのも仕方ないじゃない」

「ふん、なによ。たかが警備員のくせして、偉そうに。あたしは家を追い出されて、六畳一間のアパートに一人で暮らしているんだ。あれから孫にも会えていないし、あんたへの恨みは、一生忘れないから」

　この人に、なにを言っても仕方ない。それ以上言葉を返すこともなく、待合室でにらみ合っていると、私の名前がタイミングよくアナウンスされた。診察室に向かうべく女の視線を無視して立ち上がったところ、憎々しげな顔の女が私の背中に向けてつぶやく。

「こんなに人を不幸にしておきながら平気な顔して、あんたみたいな人がいちばん悪いわ」

診察室に入ると、怒りからなのか顔が相当に紅潮していたようで担当医師に驚かれた。ここだけの話だと、こらえきれずに事情を話すと、深呼吸をするよう進言され、少し落ち着いたところで医師が言った。

「私も、ここだけの話をしますね。あのおばあちゃんね、認知症が進行しているので、近いうちに忘れちゃうと思います」

この日以降、女と遭遇する機会はなく、抱かれた恨みが消えたかどうかも不明のままだ。

シンクロナイズ

新規の契約先の総合スーパーで初日の勤務を任された。契約初日の勤務を任されるのは会社から信頼されている証しだ。そう言ってしまえば聞こえはいいが、結果を出さなければならないプレッシャーが強く、慣れた現場よりも疲れる。

「ウチは、常習さんも含めてたくさんいるけど、大丈夫？　この仕事は、長いの？」

「はい、二十年ちょっとくらいになります。いればわかると思いますので、十分に注意して巡回しますね」

「ほー。きょうは、忙しくなりそうだなあ」

目を丸くして感心しながらもあまり期待していなさそうなゴリラ顔の店長に挨拶をすませて、妙なプレッシャーを感じながら現場に入ると、間もなく小学校低学年くらいのかわいらしい双子の姉妹が店に入ってきた。どうやら一卵性双生児のようで、服や靴はもちろん、持ち物に髪形までもがおそろいで、親でなければ見分けられないほどよく似ている。あまりにかわいらしく「初めてのおつかい」を見る気分で幼い二人の動向を気にしながら巡回していると、同じタイミングで同じ商品を手に取り、その瞬間に同じ言葉を発する場面を目撃。以心伝心とはこのことだと、とても不思議で興味深く思えた。

お菓子を片手に仲良く店を出ていく姉妹の背中をまるで孫を見送る祖父のような気持ちで見送ると、二人と入れ替わるようにするどい目付きをした高齢女性が入ってくるのが見えた。

「あのばあさん、やりにきたのかな」

映画『スターウォーズ』（製作：ジョージ・ルーカス）に出てくるヨーダに似た目をした高齢女性の溢れ出るような犯意を感じた私は、その行動を確認するべく彼女の行動を注視した。すると間もなく、厚揚げ、ちくわ、ウインナーなどの商品を手にした女は、店の死角通路で花柄の刺繍が入った黒のトートバッグに商品をすべて隠すと、ひとつも買うことなく外に出た。その熟練の早業は、この仕事に長年従事してきた私からしても目を見張るほどの技術で、相当な常習者だ。

「店の者です。このバッグのなかに入れたモノ、お支払いいただけますか？」

「あら、いやだ。うっかりしてた！　いま払うから……」

「申し訳ないけど、事務所で払ってもらえるかな」

「なんで？　いやだよお」

声をかけると同時に、踵を返して店内に戻ろうとするので、腰元をとっさにつかんで制止する。両足の爪先を立てて一歩も歩こうとしない女の体を後方から押すようにして事務所に連れていき、事務作業中の店長に引き渡した。

「万引きです」

「え？　もう？　スゲエなあ」

指定の場所に高齢女性を座らせ、トートバッグに隠した商品をデスクに出させると、計五点、合計千二百円ほどの商品が出てきた。話を聞けば、この店の近くに住んでいる七十八歳。身分を証明するモノは持っておらず、所持金は三百円ほどしかないと話している。買い取り不能と判明したとたんに顔色を変えた店長は、少し乱暴な口調で高齢女性を責め始めた。

「一度あんたのバッグに入れられたものを、お店で売るわけにはいかないから買い取ってもらいたいんだけど、家の人とか、誰か立て替えてくれる人、すぐに呼んでもらえる？」

「妹と一緒に住んでいるけど、いまケンカしてるから頼りたくない。ぜんぶ返すから、それで勘弁しておくれ」

「なんで盗っちゃうんだよ！　悪いことだって、わかってんだろ？」

「年金だけじゃあ、生活が苦しくて、食べていけないのよ。あたしじゃなくて、世の中が悪いんだよお」

まるで反省が見えない態度で店長に許しを乞う高齢女性は、間もなく警察に引き渡されると、なにかしらの前があったらしく簡易送致されることになった。おそらくは罰金刑をくらうことになるだろう。

［**一件挙がって、カッコもついたし、後半はゆっくり回るかな**］

所轄警察署で逮捕手続きを終えて、食事休憩をすませて店内に戻ると、先ほどまで隣の取調室でわめいていた高齢女性の姿が目に入った。

［**意外と早く解放されたみたいだけど、なにをしにきたんだろう？　謝罪に来るようなタイプではないよな**］

一度捕らえた被疑者に私から声をかけることはない。報復されることもあり、なにが起こるかわからないので、気づかれないように姿を隠して動向を見守るのがセオリーなのだ。目的がわかるまで行動を注視すると決めて遠巻きに女の行動を見守っていると、だて巻きやさつま揚げ、ウインナー、梅干しなど、朝に盗んだモノと同じような商品ばかりをカゴに放り込んでいく。たしか彼女の所持金は三百円ほどしかなかったはず。状況が変わっていないとすればカゴの商品を買うことはできず、商品の行く末が気になる。

［**ちゃんと払えるのか？**］

当たり前の疑問を胸に注視を続けると、しきりに後方を振り返りながら死角通路に入った女は、左手首にかけたトートバッグに商品を隠し込んだ。精算しないままに、またしても盗むだけ盗んで店の外に出た高齢女性に、湧き上がる怒りをこらえて声をかける。

「ちょっと、おばあちゃん。さっき捕まったばかりなのに、なにやってんの」

「へ？　あんた、なんだい？　知らないよ」

同じ人を複数回捕捉することは、さほど珍しいことではない。過去には、半年くらいの間に合わせて八回も声をかけることになった認知症の常習者もいた。しかし、長いキャリアのなかでも、一日のうちに同じ人を二回捕まえた経験はない。

「あなた、よく言うねえ。とにかく、お金払ってもらわないと。きっと怒られるよ」

「ああ、はいはい」

事務所に連れていくと、高齢女性の顔を見た店長が顔を真っ赤にして怒鳴った。

「おい、ばあさん。なに考えてんだよ！　あんた、さっき捕まって、警察署に行ったばかりだろう」

「はあ？　あたし、警察になんか行ってないよ」

怒る店長をなだめて先と同じ段取りで商品を出させると、計六点、千八百円ほどの商品が出てきた。どこで手に入れたのかお金は持っているというので見せてもらうと、五千円ほど所持している。

「このお金、どうしたの？」

「どうしたのって、あたしのお金だよ」

「こんなにあるんだったら、さっきのやつも買ってくれたらよかったのに」

「さっきのやつって、なによ？」

あからさまに否認を続ける高齢女性の態度をどこかおかしく感じながらも、通報に必要な人定事項を事故処理表に書かせて前件の事故処理表と照合してみる。

「あれ？　住所は同じだけど、名前が違う！」

「それ、なんて名前よ？」

店長が名前を読み上げると、苦笑した女は言った。

「姉さんだわ」

「エエーッ⁉」

「私たち、双子なのよ」

その後、駆けつけた警察官によれば、この姉妹は所轄内で名を馳せる万引き常習者だという。いつもは共犯でやるのにと首を傾げていたが、おそらくはケンカをしている最中だから別々に来て盗んだのだろう。同じ日に、同じ店で、同じようなことをして、同じ人に捕まる。この奇跡が、双子だからこその能力だとすれば、もっといいことに使ってほしい。

ひどく重たい気持ちで警察署に戻ると、地域課の前にある廊下で、ようやく取り調べを終えたらしい姉と、これから取り調べを受ける妹が遭遇した。よく観察してみれば、靴とトートバッグがおそろいで、色違いの服を着用している。

「あら、迎えにきてくれたの？」

同じ顔で二人同時に同じ言葉を発するこの双子の老姉妹を見ても、少しもかわいいとは思えなかった。

外国人万引き事情

ベトナム人による万引きの特徴

昨今、在日ベトナム人などによる集団万引きが頻発していて、マスコミも報じるようにその手口は悪質化の一途をたどっている。見張り役と実行役、運転手役に分かれて行動し、日本の犯意成立要件や既遂時期を悪用するような手口で犯行に及ぶのだ。前もって店内を偵察するのは当たり前で、店側の警戒に気づけば挑発するように店内を徘徊して商品を出し入れするような動作を繰り返す。途中で仲間を呼び集めたり、別々に行動することで警備を翻弄して、どさくさに紛れて高額商品を盗み出すという手口もあった。神出鬼没に暗躍する彼らによる被害は深刻で、捕捉するべく対峙する保安員が感じる恐怖も相当なものになる。特に、複数の外国人による犯行を現認したときには、自分の心音が大音量で鳴り響き、気温に関係なく汗が吹き出すほどの精神状態にまで追い込まれる。ブツを取り返すことはできても、共犯者全員を捕まえられるケースはまれだ。効率的に盗りたいのか、一度成功させてしまえば、系列店が軒並みやられる風潮も強い。

彼らが狙う商品は多岐にわたっていて、被害店舗の業種によってブツは異なる。たとえば食品スーパーであれば果物や生鮮食品、菓子、嗜好品などが狙われ、なかでもブロック肉や刺し身、エビ、カニ、高級果実などの被害が目立つ。特に被害が深刻なのはドラッグストアで、世界的にも評価が高い国産化粧品や美容液、強壮剤、サプリメントなどの大量盗難が日本全国で相次いでいる。死角だらけの広い売り場で、転売可能で比較的高価な商品を扱っているにもかかわらず、売り場担当従業員や警備員の配置が少ないから、集団万引きのかっこうの標的なのだ。一度の被害で商品棚がスカスカになることも珍しくない。最近の事案では強壮剤や高額コンドームの大量盗難が相次ぎ、その対応に苦慮した。

日本製の炊飯器で炊く米はおいしいと、昨今、アジア諸国では日本製炊飯器の評価が高い。盗品を売りさばく闇市場でも高値で取り引きされているため、高級炊飯器の盗難被害が、日本全国で頻発している状況だ。家電量販店などでは、イヤホンやドライヤーといった小さめの商品から、高級掃除機や圧力鍋、ＩＨコンロ、高級空気清浄器など大型家電の被害まで散見される。大型テレビとハードディスクレコーダーをセットで複数台持ち出したベトナム人窃盗団を、仲間と一緒に検挙したこともあった。いわゆる高額品狙いは、捕まれば逮捕になる確率が高いので、ほぼ確実に暴れて逃走を図る。たとえ捕まっても、素直に認めることなく否認を続ける傾向にあるため、その悪質さにイラつかされることが多い。

人気衣料品店での大量盗難も後を絶たず、ここ数年、衣類を狙う外国人窃盗団が暗躍している。いまや世界的なブランドになったU社の商品は、その機能性と品質の高さのため買い取り相場が安定していて、長年にわたって彼らのターゲットとされている状況だ。薄くコンパクトな商品はバッグにたくさん入るため、一回の犯行による被害が甚大なことも特徴といえるだろう。被害を最小限にとどめるためにも、万引き犯が好む商品を把握して、被害防止に努めることが重要なのである。

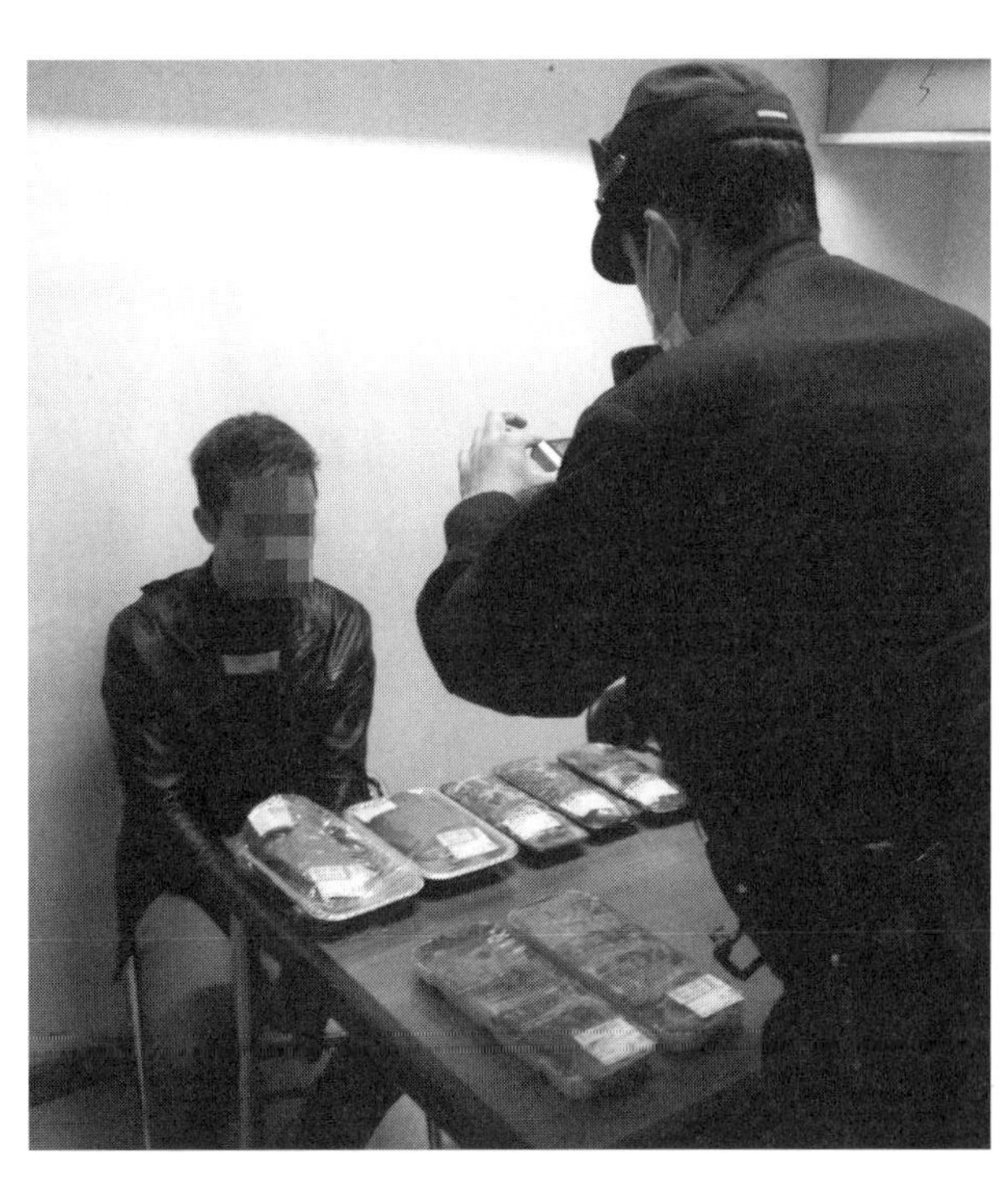

大量のブロック肉を盗んだベトナム人の男

関東のある地域では、頻発するベトナム人万引きを防止するべくベトナム語による万引き防止ポスターを作成して張り出すなどの努力をしているが、その効果は限定的で状況に大きな変化は見られない。それどころか盗んだ商品を仲間の留学生に売りさばいたり、闇業者と組んで密輸出したりすることで莫大な利益を得る者が増えていて、現地空港近くの商店では被害品とおぼしき商品が日本の値札をつけたまま堂々と販売されているありさまだ。日本国内でも、ホテルや貸倉庫に盗品を保管しながら、自室のアパートを商店化し、盗んだ商品を販売する万引き商人もいる。最近では、商店での万引きだけではなく家畜や果物の泥棒に関わるベトナム人の検挙が相次いでいる。事後強盗に至る事案も増加していて、警察官や保安員が切り付けられる受傷事故もよく聞く。先にも述べたが、捕捉されたベトナム人被疑者の多くは明確な証拠があるのに容疑を否認して、反省がない態度で居直るのが普通だ。大して日本語を話せない彼らだが、なぜか日本の犯意成立要件を熟知していて、万引きという犯罪を楽しんでいるようにも見える。その厚かましさにはあきれるばかりだ。外国人窃盗団による大量盗難を現場や報道で目にするたび、ざわつく気持ちになるのは、私だけではないだろう。

日本の警察は外国人に厳しい。一度摘発されれば、被害の大小にかかわらず逮捕されて、帰国を余儀なくされるケースがほとんどだ。ドリンク一本、わずか数十円の被害で逮捕され、帰国を条件に釈放される事案もあった。そうなれば再入国の道は絶たれ、高額な費用をかけて実現させたはずの語学留学も水泡に帰する。真面目に暮らす同胞たちに肩身の狭い思いをさせないためにも、ベトナム人留学生には「日本で万引きをするな」と忠告しておきたい。

ドラッグストアで事後強盗

このところ、日本各地のドラッグストアでベトナム人窃盗団による大量万引き事件が頻発している。私たち保安員はもちろん、警察も検挙にいそしんでいるが、彼らの手口は粗暴かつ巧妙で、もれなく捕捉するには至っていない。一度に数十万円相当の商品を持ち出される被害も珍しくなく、系列店舗をハシゴする連続窃盗と呼ぶべき事案も目立つ。一日の被害合計が百万円を超えることもあり、その悪質な犯行には憤りを感じるほかない。逃げ足が速いことも特徴で、その捕捉は困難を極める。共犯による犯行が多く、見張り役の男に威嚇されることもあって、正直なところ犯行を抑止することさえ難しい状況にある。最近は、コロナ禍の影響で盗品の輸出が困難になり、大麻の密造販売や家畜窃盗、高級青果農場荒らしにくらがえする者が増えたという話も耳にするが、帰国したくても状況が許さず生活苦に陥り、常習万引きに至る者が増えているという側面もある。ここでは、私が遭遇したベトナム人による集団万引き事案について話そう。

当日の現場は、北関東の街道沿いに位置するドラッグストアSだった。コスメドラッグを中心に、処方薬から食品まで、さまざまな商品を取り扱う地域で人気の有名チェーン店だ。このところ、アジア系外国人の大量万引き被害が頻発しているということで急な依頼が入り、新人の男性保安員と二人で勤務に入ることになった。新人は柔道初段がウリで、会うのはこの日が初めてだった。長時間電車に揺られてようやく待ち合わせ場所である改札口に到着すると、耳がつぶれた体格のいい男性がおにぎりを食べているのが見えた。

［彼だな］

そばに寄るとすぐに気づいてくれたので、簡単に挨拶をすませて徒歩で現場に向かう。二人並んで歩けば友人同士に見えないこともないが、百八十二センチ、百五キロという彼の存在感は大きく、

換金目的の犯行は共犯が多く被害が大きい

一緒にいたら目について仕事にならない気がした。

「体が大きいから、スーパーなんかじゃ目立つでしょう?」

「そうなんですよ。ドラッグストアは、隠れ場所がないから、苦手なんですよね」

あからさまに姿を見せて万引きを抑止するのは意外に簡単なことだが、逃がしてしまえばほかの店が被害に遭うため、クライアントは捕捉を求めるのが常だ。そうした事情から、店内での現認は私一人でおこない、新人には捕捉に専念してもらう作戦を立てた。外国人相手の捕捉にはそこそこの腕力が不可欠なので、頼もしく思いながら現場に入る。

客足が少ない店内で、なるべく動かないように身を潜めながら人の出入りを中心に警戒していると、夕方になって若いアジア系外国人の男が入ってきた。二十代前半くらいだろうか。袋やバッグなどは持っておらず、一見すると一般客に見えるが、女性用の化粧品売り場に直行したことで強度の警戒対象と化した。犯行に至るとすればカゴヌケや持ち出しの手口を用いると想定でき、外で仲間が待機している可能性が高い。

「仲間がいるかもしれないから、よく確認してくれるかな。確認したら、出口付近で待機して」

店外のことは新人に任せて、一人店内に残って化粧品売り場を一巡する男の行動を見ていると、高額な化粧品や避妊具、サプリメントなどの店頭在庫量を確認しているように見えた。すると、突然風除室まで引き返した男は、二つのカゴをカートに乗せて売り場に戻ってきた。犯行に至ることを確信して、店内の状況をメールで新人に伝える。

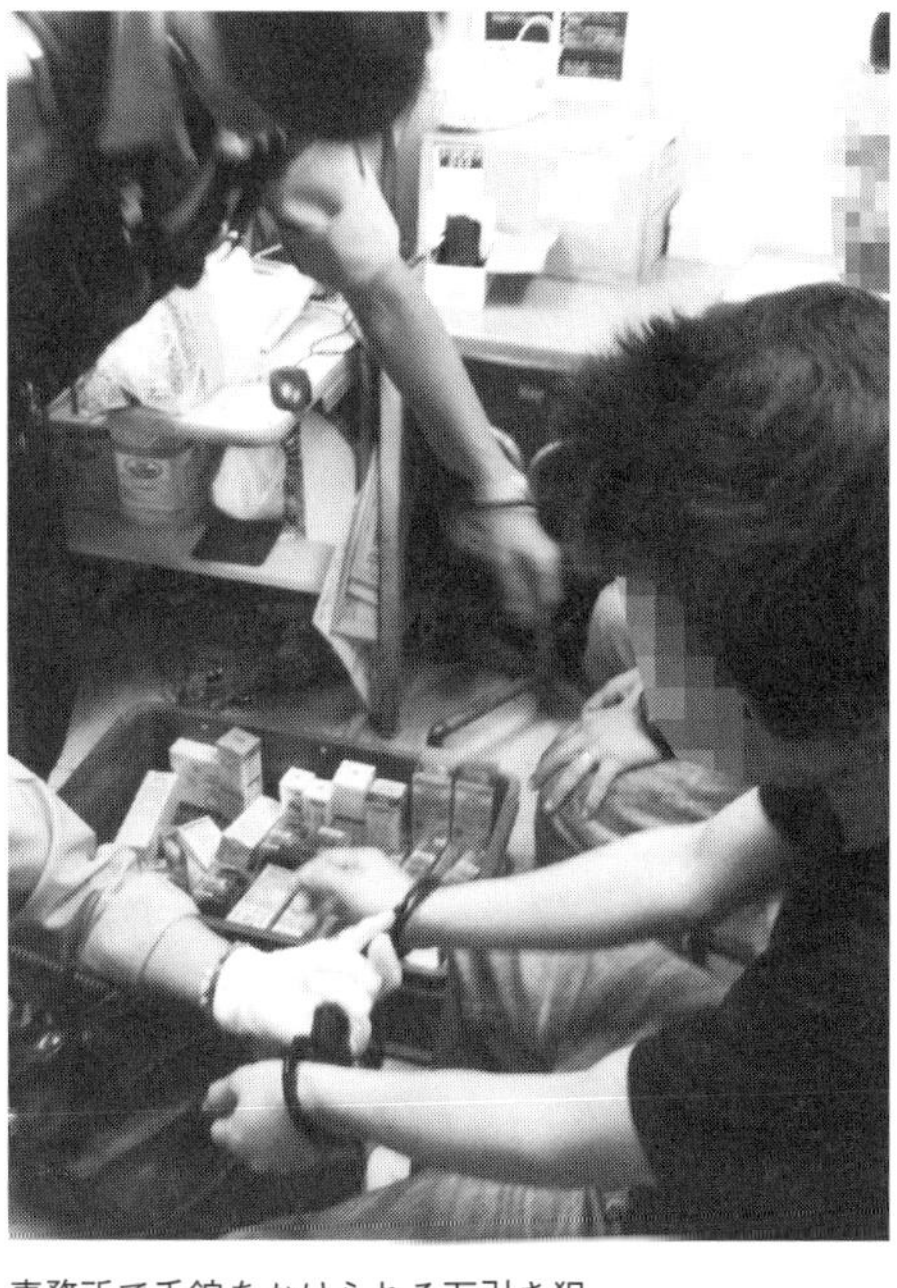
事務所で手錠をかけられる万引き犯

わずかな時間にいくつかの商品棚を空にした男は、二つのカゴに商品を満載すると、まさに一目散といった体で出口に向かって走りだした。出口を通過する際、しっかりと防犯ゲートが鳴ったが、店員が反応することはなかった。盗難被害を阻止するよりも接客のほうが大事のようだ。防犯ゲートの発報にひるむことなく出口を駆け抜けて外に出た男のあとを追いかけると、駐車場に止まるシルバーのワンボックス車の後部ドアに手を伸ばしているのが見える。スライドドアを開いてカゴを車内に放り込んだ男の後方から、駐車場で待機していた新人が勢いよくつかみかかった。

「柔道初段だっていうし、大丈夫だよな」

そう信じながら駆け寄ると、後部座席から仲間の男が飛び出してきて、二人を引き離すべく新人の手をつねった。それでも離さないとみるや間に割って入って、車内に押し込むように犯人の背中を押し始める。もみ合っているうち、犯人をつかんだ手を離さないでいた新人も引きずられるようにして車内に吸い込まれた。

「ちょっと、待て！　止まれ！」

自分でも驚くほどの大きな声で叫んだが、車は急発進して走り去っていく。逃走するワンボックス車を追いかけながら一一〇番通報して車の色やナンバーを警察に伝えた私は、事務所に緊急連絡を入れながら店舗の事務所に戻った。ひどく動揺していたのだろう、体の震えが治まらず声を震わせながら状況を説明する私に、店長が言った。

「これは、警察を信じるしかないですね。まずは、犯人の写真を用意して、警察の到着を待ちましょう」

店長の冷静な対応で我に返り、二人で防犯カメラの映像から逃げた犯人の写真を探し出すことにして映像を抽出する。続けて、駐車場に設置された防犯カメラの映像を確認していると、捜査と書いた腕章をつけた刑事を先頭に複数の警察官が事務所に入ってきた。抽出したばかりの写真を渡して、探し当てた逃走車の映像を見てもらうと、ひととおりの状況を確認した刑事が、無線で情報を拡散するよう警察官に指示を出す。

「至急、至急！　警備員連れ去りの件、被疑車両はシルバーのワンボックス、ナンバーは……」

いままでに経験したことがないほどの不安に襲われ、生きた心地がしないまま事情説明を続けているると、さらわれていた当人が足を引きずりながら事務所に入ってきた。

「おい、大丈夫か？　なんで連絡しないんだよ」

「車から蹴り落とされちゃいました。どこかでスマホを落としたみたいで、どうしようもなかったんですよ。途中、パトカーにも手を振ってみたんですけど、気づいてもらえなくて」

話によれば、ワンボックス車内でもみ合った末、走行中の車内から蹴り落とされ、そのまま逃げられてしまったということだった。車内には三人の外国人が乗っていたといい、その顔つきや言葉からベトナム人だろうと話している。ひととおりの状況確認を終えて、警察官に救急車を手配させた刑事が新人に言った。

「あんた、死ななくてよかったな」

その後、新人のスマホを遠隔で検索したところ犯人の車に放置されていることが判明した。それが捜査の端緒となってこの日のうちに犯人は捕まり、盗んだ商品も回収された。犯人は、三人ともベトナム人。そのうちの二人はオーバーステイで検挙されることになり、万引きの調べはしないまま入国管理局に送られるという。

診察の結果、幸いにも足と膝、顔の打撲だけですんだ新人だったが、この日を最後に退職した。退職理由を聞けば、命の安売りはしたくないということで、なにも言い返せずに別れを告げげた。

外国人観光客による万引き

最近は、どこにいっても外国人の姿がある。私たちの現場も同様で、この仕事に就いてからいままで、まったく喜ばしくない国際交流をいろいろしてきた。これまでの経験をいえば、ベトナム、中国を筆頭に、韓国、北朝鮮、フィリピン、タイ、インド、ブラジル、コロンビア、アメリカ、モンゴル、ロシア、ウクライナなどの国籍をもつ万引き犯を扱ってきた。語学留学生による換金目的の大量盗難や万引きで商材を仕入れる自営業者の犯行が目立つが、観光目的で来日した外国人による犯行も多い。ここでは、とある高級スーパーで捕らえた異国の万引き犯について話していく。

当日の現場は、K市にある高級スーパーSだった。治安が悪いことで有名な街の中心部にある店舗は国際空港に近いため外国人観光客の姿も多く、行けばなにかが起こる店という印象だ。この日も、勤務開始から間もなく、いくつかの総菜パンをポケットに隠して外に出た初老のホームレス男性を捕捉した。いわゆる食うに困っての犯行といえ、失うものがない人特有のすべてに投げやりな態度が、自ら進んで刑務所に入ろうとする志願兵のような雰囲気を漂わせている。逮捕されれば寝食の確保はできる。そんな発想で万引きしているようだが、たとえ逮捕要件（カネなし、ヤサなし、ガラウケなし）がそろっていても本人が刑務所入りを希望していても、逮捕してもらえない実情もある。

「きょうは別件もあって忙しいし、こいつらはシャバにいたほうがつらいから、タレ〔被害届〕は勘弁ね」

結局、今回も被害届のかわりに被害申告の意思がない旨を記した上申書に店長が署名して、すべての処理は終了した。買い取り不能の被害品はもれなく廃棄される。どうせ捨てるなら食べさせてあげればいいじゃないか。毎回、そんな気持ちに駆られるが、そういうわけにもいかない。食べるつもりだった被害品が次々と捨てられていく光景を見つめる被疑者の目が、食べ物の恨みの恐ろしさを物語っているように思えた。

土産にと万引きする外国人観光客も多い

「お前、この店、永遠に出禁だから。二度とくるなよ」

罪を許された初老男性は、自分よりも若い警察官に激しく叱責されたあと、店の外で解放された。こうした光景を目にするたび、まともに扱われず解放された被疑者がより大きな罪を犯さないか気にかかる。

警察が扱うことなく、商品の買い取りさえ

かなわない結末は、重い徒労感だけが残る。仕方なく現場に戻って巡回を再開するも、どうにもやる気が湧かずに大過なく時間は過ぎていった。

「あれ？　あの子、どこかで見たことあるような……。もしかして、芸能人か？」

疲労もピークに達した業務終了間際。ディズニーランドの大きな袋を肩にかけて店内に入ってきた髪の長い女の子が目に留まった。あまりのかわいさに少しのあいだ見とれていると、桃やイチゴ、シャインマスカットなど、いくつかの高級果実を手にして、お菓子売り場のほうに向かっていく。すれ違う客も振り返るほどのかわいさで、大学生くらいの男の子二人組など何度も振り返って確認していたほどだ。

特に怪しい人はいないのでなにげなく彼女の姿を目で追いながら業務終了のときを待っていると、彼女が手にしていたはずの高級果実が、いつの間にか消えていることに気づいた。商品の行方が気になって、チョコレートを物色する彼女に近づいてみれば、先ほどまで手にしていたはずのイチゴやシャインマスカットが、ビニール袋に描いてあるミニーちゃん越しに透けて見える。

「チョコレートも、きっとやる」

そう確信して間もなく、比較的高価な箱入りチョコレートを次々と袋に隠した女は、なにも買わずに店の外に出た。ただ盗みにきたという状況だけを見れば、先に捕らえたホームレスのおじさんと女がやっていることに違いはない。時計を見れば業務終了二分前。ここで声をかけてしまえば残業必至だが、プロとして見送るわけにもいかないので邪念を捨てて声をかけた。

「あの、お客さ……」

「キャー！　ナニ、アナタ、ヤメテ！　STOP！」

声をかけると同時に振り返って悲鳴をあげた女は、外国人のイントネーションによる日本語で叫ぶと、私の前に両手を広げて突き出した。

「あなた、外国の人なの？　フルーツとチョコレートのマネー、ちゃんと払わないと。わかる？」

「ゴメンナサーイ、オカネナカッタ」

商品を隠した袋を指さしながら、知っている英単語を並べて問いかけると、アヒルのように口を尖らせて犯行を認めた女は、素直に事務所までついてきてくれた。ある程度の日本語はしゃべれるようで、二十一歳の大学生だという女は、東京ディズニーランドで遊ぶことを目的にマレーシアから来たそうだ。被害は計九点、合計四千五百円ほど。盗んだ理由を聞けば、ディズニーランドでお金を使いすぎてしまい、お土産を調達するつもりで盗んだと話している。

「このフルーツは、どうするつもりで？」

「コレハ、タベタカッタ。ゴメンナサイ、ヘヤデ、カレシマッテル。ハヤクオネガイシマス」

ホテルの部屋で待つ彼氏もお金を持っていないというので、もはや商品を買い取る術はなさそうだ。比較的若い男性店長を呼んで事情を説明すると、被疑者の顔を見たとたんに鼻の下を伸ばして、妙に親しげに会話を始めた。相手の態度に気づいた女も、この場を収めるべく誘うように体をくねらせて、最後の夜にバカなことをしたと、目に涙をためながら許しを請うている。

「あした、国に帰るって言うしさ、警察は、呼ばなくてもいいんじゃない？」

同情したのかいい格好をしたいのかわからないが、店長がなかったことにするというなら従うほかない。念のため、警察から全件通報の指示を受けていることと、外国人の場合は必ず通報するよう強く指導されていることを伝えると、一転して表情を曇らせた店長が言った。

「面倒はごめんだから、やっぱり呼ぼう」

店長を籠絡しきれずに警察に引き渡された女は、外国人だからなのか、その場で逮捕された。彼女を逮捕するくらいなら、午前中に捕まえたホームレス男性こそ逮捕するべきだったのではないか。腑に落ちない思いは確かにあるが、ただの保安員である私に言えることはない。

「こんなにかわいい子が逮捕されちゃうなんて、なんかショックだなあ」

手錠をはめられ泣きわめく女を見つめる店長の表情がいつもとちがっていて、美女がもつ力を思い知った。

うまい棒の女

私たち保安員がいちばん恐れるのは、言うまでもなく誤認事故を引き起こすことだ。その原因は、おもに思い込みや現認不足によるもので、なかでも一点現認（一点だけしか盗む瞬間を視認できないこと）による声かけは、誤認事故の発生リスクが非常に高いと言われている。そのため、二点以上の現認を検挙条件とするクライアントも存在していて、一点だけなら盗んでもいいという理屈が成立してしまうような現状に、自分の存在意義を疑ったこともあった。私の仕事は万引き犯を摘発することだ。たとえ一点でも窃盗であり、棚取り、隠匿、未精算という犯行の一部始終を見てしまえば、どうしても声をかけたくなってしまうのだ。ここでは、一点検挙禁止の店舗で遭遇したセコイ万引き犯の思い出を語る。

当日の勤務は、関東郊外のアジア系外国人が多く居住する地域に位置するディスカウントストアAだった。開店時間の午前九時に出勤して、事務所に上番（出勤連絡。退勤連絡は下番）の連絡を入れると、電話口に出た部長が重く疲れ果てた口調で言った。

「先週、Aさんの別店舗で誤認事故が連続発生してしまい、現在、契約存続の危機にあります。きょうからしばらくのあいだ、一点検挙は厳禁になりました。なるべく抑止に励んでください」

「はあ？」

不思議なことに誤認事故は連鎖するもので、一度起きると過剰なほどに警戒される。指令が出てしまえば従うほかなく、それに反して誤認事故を引き起こすような事態を招けば、このうえない窮地に陥ることは言うまでもない。本末転倒な指令を受け、謝罪に尽くしたのだろう部長の姿を思い浮かべた私は、少しいやな気分で巡回を始めた。

大過なく前半の勤務を終えて勤務終盤にさしかかると、首元がよれよれになったピンクのトレーナーに百円ショップで売っていそうなヘップサンダルを履いた二十代後半に見える女性が店に入ってくるのが見えた。ホームレスには見えないものの、どこか貧しげで、飢えたような雰囲気が気になる。なにをしにきたのか確認するためにその行動を注視していると、女性は菓子売り場に設置されたチョコレートの試食コーナーの前で立ち止まった。この店は自社ブランドの商品を販売しているために試食提供が多く、それを目当てに来店する人たちが数多く存在している。当日は、チョコ

来店するたびに1点だけ盗む常習者も多い

レートをはじめハム、チーズ、ウインナー、さつま揚げ、おせんべい、オレンジなどの試食を提供していて、お昼時にもたくさんの人たちが試食だけのために来店していた。各コーナーに「一人一つ」と明記してあるにもかかわらず大量に頬張る人も散見され、その厚かましさにあきれてしまうことも多い。

「また、試食狙いかな？」

そう思いながら行動を見守っていると、黒いスエットパンツのポケットからレジ袋を取り出した女性は、持ち手の片方だけを持って開口部を広げた。そして、試食用のチョコレートを載せたトレーを持ち上げると、そこにあるすべてをレジ袋に吸い込ませた。悔しいことに、無償提供の試食品を隠匿しただけでは、捕捉することはできない。しかし、このようにマナーやモラルがない人は、ほかになにをするかわからないのも事実である。そのまま目を離さないでいると、女はすべての試食品コーナーに立ち寄って、店内に設置されたビニールを駆使して試食品を隠して回った。途中、品出しをしていた副店長も女の行動に気づいたようで、なんとかしろよという感じの視線を私に送ってくる始末だ。試食巡りを終えて菓子売り場に戻ってきた女の様子を棚の陰から見守っていると、向こう側の棚の陰から同じように女の様子をのぞき見ている副店長の姿が見えた。

「どうやって追い出してやろう」。棚の隙間から垣間見える副店長の目からは、そんな気持ちが強く伝わってくる。それから間もなく、おもむろに後方を振り返った女は、一本のうまい棒を右手に取った。そのフレーバーは、めんたい味。個人的に好きな味の一つなので、紫色のパッケージを見てすぐにわかったのだ。警戒の目で周囲の様子をうかがい、うまい棒を掲げるようにして天にかざした女は、それを太ももに叩き付けるようにして開封した。

場にそぐわぬ破裂音を店内に鳴り響かせて、その場でうまい棒にかじりついた女は、出口に向かって歩き始めた。目を三角にした副店長も、それに合わせて動き始める。このまま店外まで出てしまえば声をかけるほかない状況だが、一点検挙禁止の指令が脳裏をよぎる。副店長に見守られるなか逃げ場を失くした私は、食べかけのうまい棒を片手に店の外に出た女を呼び止めた。

「店の者ですが、そちらの代金……」

「アナタ、ナニ⁉ ワタシ、カンケイナイヨ！」

口の周りをうまい棒と同じオレンジ色に染め、外国人らしいイントネーションの日本語で答えた女は、証拠を隠滅するようにうまい棒にかじりつくと、追いすがる私の制止を振り切って歩き続けた。相手が外国人であることがわかり、さらに油断できないという気持ちになった私は、うまい棒を握る女の手を取り、できるだけ怖い顔を作って言い聞かせる。

「これの、おかね、ください」

「チガウ！ ヤメテ！」

副店長と二人、もがく女の袖口を両側からつかんで引っ張るようにして事務所まで連行したものの、言葉の壁もあって意思の疎通はかなわない。被害品は、売価九円のうまい棒だけだが、警察に引き渡すほかない状況だ。通報を受けて駆けつけた駅前交番の警察官は、被害品である食べかけのうまい棒を見てあきれた顔をしたが、女の身分確認を終えると表情を一変させた。

「この女、偽造した外国人登録証を持っていたので、そっちで現逮します」

「警察署には、行かなくて大丈夫ですか？」

「ええ。すぐ入管〔出入国在留管理局〕に送られて、それから強制退去になるんで、きょうは、これで大丈夫です。ほら、いくよ！」

たった九円のうまい棒（めんたい味）を食べてしまったことで不法滞在が発覚して国外退去になるだろう彼女は、その場で手錠をはめられ腰縄を巻かれて連行された。連行時、女はこのうえなく恨めしそうな顔で私たちをにらんでいたが、しばらくは日本に入ってこれないというので気にもならないというのが本音だ。

翌日、指令に反して一点検挙に至った事実を部長に報告すると、すでに副店長から一部始終を聞いていたらしく、今回ばかりは目をつぶると許された。この仕事は、結果がすべてなのだ。

犯罪と迷惑行為の境界線

ショッピングモールの迷惑客

多くの人が行き交うショッピングモールでは、他人の迷惑を顧みず自己中心的な振る舞いをするいわゆる迷惑客が数多く存在していて、その店の有名人となってあだ名をつけられている者までいる。

食品フロアでの迷惑客の代表例は、青果売り場や生鮮食品売り場、サッカー台などに配備されたビニール袋を大量に持ち去る人だ。なにを買うわけでもなく試食にいそしみ、総菜売り場に設置された醤油やガリ、割り箸などだけをわしづかみにして出ていく者も珍しくない。また、生鮮食品を持ち帰るために配備された氷も、迷惑客の標的だ。なにに使うのか、大きなポリ袋を持ち込み、それを満杯にして持ち帰る猛者もいる。そうした人物にかぎって一個も買わないまま、氷だけを持ち去っていくので始末が悪い。店の警告を無視して、日々、大量の氷を持ち去り続けた迷惑客が逮捕される事案もあった。提供品の持ち去り被害に悩む商店は、被害申告を視野に入れた対応を検討すべきだろう。

一度手にした商品を適当な売り場に放置する迷惑行為も目立つ。冷蔵環境の必要な果物や生鮮食品を菓子売り場などに放置していくのだ。商品を戻しにいくのが面倒なのだろうが、放置された商品は売り物にならない。また、子どもが誤って床に落とした鶏の唐揚げを拾い集めて、店の人に申し出ることなく売り場に戻すヤンママも見た。違法行為ではないものの、店内に商品をばらまく人を見るたびに、その光景を思い出してしまう。

値引きシール目当ての客のなかにも、浅ましく厚かましい迷惑客がいる。半額シールを貼る時間は閉店間際が多いが、少し早めに来店して狙った商品をカゴにキープすると、そのまま店内に居座り、店員が現れると同時に割引シールを貼れとカゴの商品を差し出すのだ。それに一度でも応じてしまえば、半額狙いの客全員に同じ対応をしなければならないので店側は丁重に断るのだが、それがクレームを生み、人種差別だと大声でわめき散らすアジア系外国人もいた。人は、どれだけ厚かましくなれるのだろうか。その厚顔無恥ぶりには、いつもへきえきさせられる。

極め付きは、トイレの私物化だ。個室内で寝る者や万引きした弁当を食べる者もいれば、洗濯したり体を洗ったりする者までいる。売り物の衣料品をトイレに持ち込み、金を払わないまま着替えて、その値札や防犯タグを流して配管を詰まらせる者も珍しくない。つい先日には、盗んだブリーチで髪の毛を染めている高校生を捕らえ、個室内で違法薬物を吸引していた三十代の男を警察に引き渡した。さまざまなカップルの休憩所として不正に利用されていることもあり、使用ずみのコンドームが散乱していることもあった。トイレの給水タンクから大量の注射器が発見されたときには、警察に通報して防犯カメラの映像から割り出された外国人の麻薬密売人の逮捕につながった。トイレの居心地がいいほどに、こうした輩は集まる。身近な買い物スポットであるショッピングモールのトイレは迷惑客の巣窟なのだ。

チャリ

私たちが派遣される現場の大半を占める食品スーパーの店内は大きな冷蔵庫のようなものなので、どうしても体が冷える。その影響なのか、近頃は足腰に痛みを感じることが増えてきた。この仕事の基本は、視力と脚力だ。大げさに聞こえるかもしれないが、万引き行為の現認は瞬間の世界なので、万全の体調で挑まなければ結果を残すことができない。

先日は、現認がとれた三十代前半とおぼしき女性万引き犯の素早い行動に足がついていかず、まんまとチャリ（一度隠した商品を戻して証拠隠滅すること）され、たやすく逃げられてしまった。自分の失敗談をするのはあまり気が進まないが、あえて詳細をお話ししよう。

当日の現場は、東京の湾岸地域に位置する大型総合スーパーTだった。一階で食品、二階でドラッグコスメを扱い、三階にはテナントの百円ショップを有する大きな店で、過去に何度も入っている現場だ。やけに出入り口が多い厄介な構造と、店員の少ない売り場が多くの万引き犯に好まれているようで、万引き被害は常に多い。各売り場をハシゴする被疑者も多く、どのフロアにいても気の抜けない状況に置かれるため、ひどく疲れる現場の一つといえる。

最近は特に夜の被害が多いらしく、終電に合わせたシフトを組まれた。遅めのランチをすませて現場に向かい、総合事務所に挨拶に出向くと、顔色が悪い初老の店長が興奮した面持ちで食い入るように防犯カメラのモニターをにらんでいる。

「おお、ちょうどいいところに！　前から目をつけていた女がさ、ちょうどいまやっているから、すぐに入ってくれる？」

　すぐさまモニターを確認すると、大きなつばの帽子をかぶった上品ないでたちの女性が、二階の売り場でカゴにある化粧品などを次々とバッグに隠していた。「棚取り（棚から商品を取るところを目撃すること。犯意成立要件の一つ）は見た」と店長が言うので、この店の商品を隠しているところにちがいないと思われるが、商売柄、犯行の一部始終を自分の目で見なければ気がすまない。すぐ店内に入って行動を見守ると、カゴにある商品をバッグに入れ尽くした女は、さらに二本の化粧水をわしづかみにした。それをバッグに直接隠すと、そそくさとエレベーターに乗り込んでいく。場数を踏んだ常習者としか思えない動きに自然と体が緊張し、両脇から緊急時にしか出ない変な汗が流れ出た。

「一緒に乗り込めば、こちらの正体がバレる」

　自分の直感に従い、エスカレーターに乗るために踵を返した瞬間、左膝に痛みが走り、力が入らなくなってしまった。左足を引きずって、ピョコピョコと跳ねながらエスカレーターに乗り込み、痛む左膝をさすりながら女の姿を探索する。

「あ、やばい！」

　エレベーターのほうを見た瞬間、扉が開いて、女と目が合った。すぐに視線をそらせたものの、どうやら自分の感情が顔に出てしまったようで、帽子のつばの陰からこちらを見つめたまま微動だにしない。エレベーターを降りることなく平然とした様子で扉を閉めた女は、そのまま上階に引き返していった。

「あの女、相当な常習だ。一瞬で、完全に見抜かれたぞ」

後を追わないわけにもいかず、足を引きずり、もたもたと二階まで引き返すと、妙に軽やかな足取りでエレベーターを後にする女の姿があった。エレベーター脇にはバッグから戻したと思われる商品が満載されたカゴが放置されていて、もはや取り返しがつかない状況だ。完璧なミスにぼうぜんとしていると、大胆にも私に向かって近づいてきた女が、すれ違いざまにつぶやいた。

「早く死ね、バーカ……」

店の外に出ていく相手の背中を忸怩たる思いで見送り、放置されたカゴを回収して足を引きずりながら事務所に戻ると、常習者の捕捉を待ちわびていた店長が目を丸くして言った。

「あれ、どうした？　取っ組み合いでもしてきたの？」

「いえ、ちょっと足をくじいちゃったみたいで……」

「あの女は？」

「バレて、出されちゃいました。たぶん、全部あると思うんですけど……」

「せっかく見つけてやったのに、なにをやっているんだ」と言いたげな表情で私を見下ろした店長は、気を取り直したように言葉を飲み込むと、女が置いていった商品の確認を始めた。未遂の被害は計十八点、合計一万六千円ほどだった。一度バッグに入れられた生鮮食品は廃棄処分するが、化粧品などの商品は清拭したあとで売り場に戻すので、実害は生鮮食品分だけになる。次々と捨てられていく高級食材を眺めながら、もったいないという気持ちをこらえていると、怒りに震える店長の独り言がかすかに聞こえてきた。

「盗まれて、ただで食わせるくらいなら、捨てちまったほうがよっぽどいいよ」

近寄りがたい雰囲気に気おされてなるべく静かに事務所を出た私は、汚名を返上するべく現場に戻った。膝の痛みが治まらないので、なるべく歩かないですむようにメインの出入り口近くに陣取って入店者のチェックを始めると、入店直後から不審な動きをする六十歳代ぐらいの男性を発見。カップ酒やおにぎり、ホタテの缶詰などをポケットに隠して、なにも買うことなく平然とした様子で店から出ていこうとする。さほど動きも早くないので出たところで首尾よく声をかけられ、犯行を素直に認めた男を事務所に連れていく。

「すみません、魔が差しちゃって。お金払いますので、今回だけは勘弁してください」

「金あるなら、ちゃんと買えよ。今回は勘弁してあげるけど、もうウチの店には、二度とこないでくれるかな？」

手を合わせて懇願する男を見下ろしながらすごむように店長が言うと、深くうなずいて応じた男が、ポケットから取り出した財布から一枚のカードを抜き取って言った。

「ポイントで支払います。もう来ちゃいけないなら、カードも精算しちゃってください」

万引きした商品の支払いにポイントを利用する人は初めてだった。逃げられて罵倒された悔しさや膝の痛みも忘れてついつい笑ってしまい、店長ににらまれた。

セルフレジ不正

普段通っているなじみのスーパーで、図らずも盗んだと疑われても仕方がないことをした経験がある。無論、商品をエコバッグに隠匿するような行為をしたわけではない。商品の読み取りから会計まで、すべてを自分ですませるフルセルフレジで精算して家に帰り、ポイントを確認するべくレシートをチェックしたところ、レシートに記載されていない商品があったのだ。その商品は二キロの新米。バーコードを読み取り機に当ててチェック音を聞いた記憶もあるのに、なぜだか支払いがなされていない。店に電話をかけて、使ったレジの位置と時間、ポイントカードの番号を伝えて事情を説明すると、次回の来店時に支払ってくれればかまわないという。それも気持ち悪いので、すぐに行って支払いをすませることにした。

「このたびは、失礼しました。こういうことって、ほかにもあります？」

「ええ、たまにありますよ」

「ピッていう音、鳴っていたんですけどね」

「混雑する時間ですし、ほかのお客さまの音と混同されたのかもしれませんね。重い商品なので、読み取るときに揺らいで、うまくスキャンできなかったとも考えられます。どうか、お気になさらないでください」

サービスカウンターに出向いて事情を話すと、電話口に出たと思われる女性スタッフがいやな顔ひとつ見せずに対応してくれた。帰りの道中、過去にあったセルフレジを悪用した捕捉事案と、自分の行動を照らし合わせながら家路をたどる。

「もし、現場で同じことをする人を見かけたら、きっと声をかけていることだろう。悪意がないとはいえ、もし声をかけられていたら、どうなっていたことか……」

少しでもタイミングが悪ければ自分のキャリアが崩壊していた可能性まで考えられ、肝が冷える思いがしたものだ。ここでは、フルセルフレジを悪用する万引き犯について話していく。

当日の現場は大型ショッピングセンターYだった。挨拶のため総合事務所に到着すると、店長は休みで、強面の副店長が対応してくれた。挨拶をすませていつものように注意事項を確認すると、副店長が苦虫を噛みつぶしたような顔で言う。

「ここは、セルフレジでチェッカーをスルーする人が、たくさんいてさ。導入してからは、売り場で商品を隠す人を全然見かけなくなったくらいなんだよね」

この店は将来的に店舗の無人化運営を見据えているようで、店員が商品をスキャンして支払いだけ機械でするセパレート式のセルフレジだけではなく、精算行為のすべてを客がおこなうフルセルフレジも複数台導入している。客に精算の手間を預けることで、確かに人員コストは下げられるかもしれないが、不正行為による被害を考えると、逆に収支が合わない気がしてならない。

「そういう人も、捕まえられるの?」

「はい、何人も扱ってきました。否認する人が多くて、大変なんですよ」

フルセルフレジでの犯行は、捕捉後に犯意を否認されることが多く、その処理によけいな時間がかかる。悪い目つきで監視スタッフの様子をうかがい、おかしな手つきで商品を隠しているにもかかわらず、精算したつもりだったと居直る人が多いのだ。一見して、言い訳しやすい環境と思われるからだろうが、各台には比較的高性能な防犯カメラが設置されていて、とっさに思いついたような嘘は通用しない。精算の様子は一部始終記録されていて、その映像からも犯意を確認できるのだ。

「そうなんだ。大変でしょうけど、きょうはセルフレジを中心に警戒してもらえるかな。期待していますよ」

セルフレジを中心にと言われても、商品を手にするところから見ないとなにも始まらない。通常どおりに巡回をして不審者の発見にいそしみ、その結果として、そうした手口を用いる被疑者が現れるのだ。いつもどおり、比較的高価で万引きされやすい商品を手に取る人たちを確認して回ることに決めた私は、化粧品や高級食材などの売り場を中心に警戒することにした。

すると、勤務中盤にさしかかったところで、五十代前半とおぼしき髪の長い痩せた女性が目に留まった。ポイントデーでもないのに比較的高価なオリゴ糖と蜂蜜のボトルを三本ずつカゴに入れるところを目撃してしまい、ちゃんと買うのか気になったのだ。追尾すると、次に複数の輸入調味料をカゴに入れた女性は、牛すね肉、スペアリブ、菓子パン、モッツァレラチーズ、そして最後に高価な赤ワインを二本カゴに入れて、レジのほうへと向かっていく。

入り口に設置された五円のレジ袋を手に取ってフルセルフレジのエリアに入った女性は、サポート役の店員からいちばん離れた台に陣取った。店員に背中を向けるようにして、レジ袋をスキャンしないまま精算台にセットすると、何食わぬ顔で商品の精算を始める。

ちらちらと女性が店員のほうを気にしている隙に、女の手とレジのモニターが確認できる位置まで移動して精算状況を確認すると、バーコードを手で隠す手口でレジを通さないまま、いくつもの商品をレジ袋に隠しているのを現認できた。会計時、酒類を購入したことから年齢確認のためにサポート役の店員が駆けつけたが、女の悪事に気づいている様子はない。店員が離れ、スキャンした商品だけの精算をすませた女は、かなりの早足で店を出ていく。後方を振り返りながら店の外に出た女が、出入り口脇に止めた電動自転車に手をかけたところで、そっと声をかけた。

「あの、お客さま？　店の者ですが、そちらのお会計、ちょっと確認させていただけますか？」

「はあ？　なんですか？　お店開けなきゃいけないから、時間ないんですけど」

「すぐに終わりますよ。申し訳ないですけど、レシートの確認だけさせてください」

「ええ、これですけど……」

なぜだかわからないが素直にレシートを出してくれたので、レジ袋に入れた商品と照合させてもらうと、案の定、複数取りした商品の精算が一部しかなされていない。はっきり言ってしまえば、買ったモノよりも盗んでいるモノのほうが多い状況だ。

「お支払いすんでないモノ、たくさんあるんですけど……」

「え？　ウソ？　私、全部通しましたよ」

そう言い張るので、直接本人に照合してもらうと、どこかわざとらしく狼狽した様子をみせた女が、意味不明の言い訳を始めた。

「あれ？　ホントだ。なんでだろう？　もしかして、機械が壊れているんじゃないですか？」

「お釣りまで出ているのに、壊れているわけないじゃないですか。そんな言い訳、通りませんよ」

「はあ？　あたし、本当に知らなくて……。以後、気をつけますね。お金、払ってきます」

店内に戻ろうとする女を呼び止め、事務所で払ってもらうよう促すと、時間がないと言いながらも同行に応じてくれた。事務所に到着して、身分証明書の提示を求めると、女は五十二歳。ダンナと二人、隣町で小さな洋食屋を営んでいるそうで、店を開けないといけないので時間がないのだと繰り返している。

この日の被害はレジ袋を含めて計十点、合計八千円ほどになった。

どうにも落ち着かない様子の女は、被害品の伝票を確認して、現金の持ち合わせがないのでカードで払いたいと、まるで悪気がない感じで話している。すると、事務所内のロッカーから「㊙不審者ファイル」を取り出してパラパラとめくっていた副店長が、興奮ぎみに声をあげた。

「ウチのブラックリストに、あんたの写真があるんだけどさ、同じこと何度もしているよね？」

「いえ、本当に払ったつもりでいました。すみません。これからは気をつけます」

「いや、あんた出入り禁止だから、二度と来ないでくれる？　きょうは、いままでの被害も含めて、きちんと警察に調べてもらいますから」

おそらくは言い訳を用意したうえでの犯行と思われ、保安員に声をかけられたときの対応もシミュレーションしてきたのだろう。間もなく臨場した警察官に引き渡された女は、否認を続けたことが影響したのか、犯歴がないにもかかわらず基本送致されることになった。

「店で使うモノだって話しているから、仕入れ目的みたいな感じだろうね。本人は認めないけど、計画的にやっている感じだよ。コロナのおかげで、お店やっている人の万引きが増えてきたよなあ」

処理を終えて警察官と一緒に地域課を出ると、女のガラウケにきていたダンナが、廊下に設置されたベンチシートに大股を広げて座っていた。前を通ると、憎悪にあふれた目でにらまれ、目を合わせぬよう早足で通過した。

付け替え詐欺

不況になると詐欺被害が増える。国内では相変わらず特殊詐欺の被害が相次いでいるが、私たちの現場である商店にもちょっとした詐欺師が出現する。一円でも得をしたいという歪んだ節約心理から、値段の貼り替え行為に及んでしまうのだ。スーパーで見られる貼り替え詐欺はおもに中高年層の主婦によるもので、そのほとんどが単独でおこなわれる。貼り替え用のシールやバーコードを台紙にセットして自己のバッグに忍ばせてくる常習者が多く、それ用のシールを業者から購入してまで犯行に及ぶ者もいる。その熱意をほかに向ければ割引分くらいはたやすく稼げると思うが、彼女たちにそうした考えはないようだ。たとえ少しであっても、自分だけは常に得をしていたいのだろう。貼り替え詐欺師の振る舞いを暴いてみれば、自分さえよければいいという身勝手な理屈しかなく、そこにある人間の浅ましさから目を背けたくなる。

当日の現場は、東京都内の住宅地に位置するスーパーNだった。地階に食品売り場、一階がファッション・雑貨、二階は書店やドラッグのほか日用品売り場も備える少し大きめの総合スーパーで、朝市や夕市、タイムサービスなど、たくさんのイベントで固定客をつかんでいる地元の人気店だ。この月は、勤務シフトの半分以上がこの店。その半分ほどを消化したところで、捕捉がない日は一日もなかった。その結果、店長や副店長からの信頼も得られて、現場の居心地もよくなってきた。

「おはようございます。これから入りますので、よろしくお願いいたします」

「おお。待っていましたよ。ちょっと一緒に、一服行きましょう」

事務所に挨拶に出向くと店長から休憩室に誘われ、自動販売機のドリンクをごちそうしてくれた。

「毎朝三時に起きて、市場に行ってさ、一円単位の利益を求めて苦労して仕入れたモノを、タダで持っていくなんてヤツは、絶対に許せないよね。持っていかれる側から言わせれば、理由なんて関係ないよ」

聞いたところによると、店長の平均睡眠時間は四時間。激務のなか、不毛な万引き処理に時間を割かれるのは耐えがたいけれども、放置もできないし許せないから仕方ないのだと、万引き犯に対する怒りを強くぶつけてきた。

「こないだの棚卸し、ウチの店の商品ロスがいちばん多くて、ワーストだったんだよね。ほんと、困っちゃうよ」

商品ロスの量は、店舗管理能力が判断されるところだ。店長自身のボーナス査定や人事査定にも影響するので、相当に頭を悩ませているそうで、きょうの捕捉も楽しみに待っていると手を握られた。万引き犯を連れてくるたびにこちらまで萎縮するほど怒鳴り散らす店長の真意を知って、少し納得がいった。

商品のブドウを損壊した女

店長の期待に応えるべく現場に入ると、午前中のピークを迎えたところで、妙に周囲を気にしながら総菜をにらむ初老の女性が目に留まった。どことなくカマキリを彷彿させる目の大きな女性だ。明らかに他者の目を気にしている様子が気になり、そのまま注視していると、半額シールを貼った「具だくさんポテトサラダ」（二百九十八円）のふたを外した女が、続けて割引されていない同商品のふたも外して二つを付け替えた。半額シールを持ち込むなどして、正規の値段で販売中の商品に貼り付ける行為は散見されるが、ふたを付け替える手口を見たのは初めてのこと。正規品のふたがついた割引商品の消費期限を考えると、購入した人がおなかを壊すことになるかもしれず、放置するわけにはいかない。ふたを付け替えられて放置された商品を確保したうえで女を追尾すると、四十八円の缶コーヒーと半額になったあんぱんを手にして青果売り場に向かっていった。そこで、備え付けのポリ袋を手にした女は、箱入りのミカンを開封して一つ抜き取り、堂々とした様子でポリ袋に入れた。続けて、派手にディスプレーされた巨峰やシャインマスカットに手を伸ばすと、いくつかの粒をもぎ取ってポリ袋に入れていく。

高級青果は一粒でも取られてしまえば形が崩れて、商品にならない。レジに向かう女の動向を見守りながら彼女が手をつけたブドウ類を余すところなく押収した私は、気づかれることなくレジ列に並ぶ彼女の後ろについた。割引シールがついたフタに付け替えたポテトサラダを不正な値段で精算した瞬間に声をかけるためだ。貼り替え詐欺の場合は、万引きの既遂時期と異なり、値段を貼り替えた商品の支払いがすんだところで犯罪が成立するのである。

「店内保安です。お客さま、そちらのポテトサラダ、割り引きしていないんですよ。ブドウのほうも、商品にならないので、ご精算いただかないと。それに、ミカンもタダじゃないです」

「え？　ああ、そうよね。すみません」

この目で見た女の行動をもれなく指摘すると、言い返す言葉が見つからなかったのか犯行を素直に認めた。あっけにとられるレジ店員を尻目に、女を連れて二階にある総合事務所へと寄り添って歩く。その途中で犯行理由を尋ねると、まるで悪気がない態度で答えた。

「一人暮らしだから、たくさん食べられないでしょ。少しだけで十分だから、買うのがもったいなくて」

「ポテトサラダのふたを付け替えた理由は、なにかあります？」

「どうせ買うなら、なるべく新鮮なモノを、できるだけ安く買いたいじゃない」

事務所に到着して、不正に購入したポテトサラダと果実を隠したポリ袋をデスクに出してもらい、現場で押収した被害品と一緒に並べてみる。事務所で事務作業をしていた店長に声をかけて状況を説明すると、損壊された商品と女を一瞥しただけで、すぐに警察に連絡し始めた。通報に気づいて暴れる人もいるため、気をそらすように身分証の提示を求めると、身分を証明できるものは持っておらず、提示されたのはこの店のポイントカードだ。話を聞けば、女は六十二歳。この店の裏にあるアパートで一人暮らしをしているそうで、ここには長年にわたって毎日通っているのだと、常連客の顔で胸を張った。

「毎日、来るたびに、こういうことをしていたってこと？」

「毎日じゃないけど、たまにね。もうしないし、全部返すから、勘弁しておくれよ」

悪びれた様子はみじんも見せずに、まるで井戸端会議に参加しているような雰囲気で笑いながら話す女に、通報を終えた店長が目を三角にして怒鳴りつける。

「おい、あんた。たまにって、どういうことだよ。あんたは軽い気持ちでやっているのかもしれないけどよ。こっちからすれば、すげえ迷惑なことだぞ、これ」

「わかってますよ。そんなに大きな声出さないで」

「はあ？　あんた、自分の立場わかってる？　立派な犯罪なんだぞ、これ！」

「はいはい、すみませんでしたね……」

店長から目をそらしてふてくされながら謝罪する女に、店長の怒りは収まらない。

「てめえ、なめてんのか？　ババアだからって、承知しねえぞ、この野郎！」

事務所の窓が共鳴するほどの大声で女を一喝した店長は、警察官が到着するまでのあいだ、ずっと怒鳴り散らしていた。理由はどうあれ、母と同世代の女性が若い男性に怒鳴られている姿を見るのは痛々しく、正視に堪えない。しかし、残念ながら止める立場にもなく、ただ見守ることで時を過ごした。結局、駆けつけた警察官に説得されるようにして損壊した商品をすべて買い取ることになった女は、いやいやながらに財布から金を出すと、この店のポイントカードも一緒に取り出して言った。

「ポイント利用でお願いします」

「気持ちはわからないでもないけどさ、少しは立場をわきまえろよ」

突拍子もない女の発言に警察官が失笑を漏らすなか、お金とポイントカードを受け取った店長は、デスクからはさみを取り出して言った。

「あんたは、もう出入り禁止だから、ポイントカードは返してもらうよ」

「エエッ？　ここに来れないと、困っちゃうんだけど……」

食い下がる女の懇願を遮るように、あえて面前でポイントカードを裁断してみせた店長の意地悪な顔は、いまも目に焼き付いている。

シール泥棒

店内に現れる不審者は万引きする人ばかりではない。先月は、とあるスーパーで、清涼飲料水のペットボトルに貼ってあるQRコード付きのシールを次々と剝がして、商品を損壊する高校生らしきキツネ目の少年を発見した。このQRコードがあれば、若者に人気の女性アイドルグループの限定動画を見ることができるのだ。犯行現場のドリンク売り場のすぐ脇では、ジュースのパッケージに使用されているキャラクターの着ぐるみが、アイドルグループのポスターに囲まれながら大きなアクションをして子どもたちの相手をしている。それにもかかわらず、万引きするときと同じ挙動で三本のペットボトルを手に取った少年は、着ぐるみに背を向けて不審な動きで商品をいじると、それを売り場に戻して立ち去った。気づかれないように少年が戻したペットボトルを確認してみると、貼ってあったはずのシールがなくなっていた。

販促品のシールを剝がして持ち去る行為は、それだけでも窃盗罪が成立する。飲料とシールを合わせて一つの商品と解釈されるために、その商品自体が被害品となるのだ。シールを貼っていない商品の多くは売れ残り、あるいはそれを買ったシール目当ての客からクレームが入ることもあるので、商店の頭を悩ませる小さくも煩わしい問題の一つといえる。

そのまま後をつけると、拳を固く握りしめたままドリンク売り場を離れた少年は、その足で隣接するフードコートに入っていった。奥のほうの席に着き、手のひらのシールをテーブルの上に置くと、爪の先を使って一枚ずつ丁寧に広げて並べている。

スマホでQRコードを読み取って動画を見始めた少年は興奮した面持ちで、食い入るように画面を見つめている。まさに欲望丸出しといった様子で、おぞましいほどの集中ぶりだ。ここで声をかけたい気持ちになったが、シールを剝がした瞬間は見ることができなかったので、やむなく見送った。

数時間後。巡回中にドリンク売り場の前を通りかかると、先ほど見送ったキツネ目の少年がいつの間にか店内に戻ってきていた。防犯カメラが気になるのか、不自然に天井を見回している。

「またやったら、今度は声をかけよう」

それから間もなく、同じ手口でペットボトルから四枚のシールを剝ぎ取った少年は、それを握りしめたまま、またしてもフードコートに向かった。今回は犯行の一部始終を現認できたので、先ほどと同じ席に着いた少年がテーブルの上にシールを並べたところで声をかける。

「すみません、店の保安員です。そのシール、ほかにも楽しみにしている人が多くて、剝がされちゃうと困るんだ。ちょっと事務所まで、一緒に来てもらってもいいかな？」

「はあ？　そんなことしてねえし。これは、前に買って、持ってきたものなんだけど」

「きょう、ここに二回来て、二回とも同じことしてるでしょ？　いくらなんでも、七本はやりすぎだと思うよ」

「はあ？　なにもやってねえし。じゃあ、証拠を見せてよ。防犯カメラとか、ついてるんでしょ？」

思い切り居直られてしまい、まるで埒が明かないので、仕方なくその場にマネージャーを呼び出して事情を説明することにした。すると、そのマネージャーがたまたまドリンクの品出しを担当していて、ここ数日、毎日のようにシールが剝がされていると耳打ちされた。

「きっと、全部この子の仕業でしょうから、証拠になる映像を探してみましょう」

「お手数かけて申し訳ありません」

どちらかといえば自ら進んで同行に応じた少年に剝がしたシールを持たせて、三人並んで防災センターに向かう。犯行前に防犯カメラの位置を確認していたので、撮られていない自信があるのだろう。防災センターの応接室に入ってからも、証拠がなかったらどうしてくれるんだと、私を挑発するように大人顔負けのセリフを吐き続けている。

「証拠が出てきたら、どうするか。それも考えておいてね」

「おお、なんでもしますよ。そんなのあるわけねえし」

実行場所と時間をマネージャーに伝えて防犯カメラの映像を確認してもらった結果、少年が犯行に及んだ場所の真上に設置してあるドーム型の防犯カメラに犯行の一部始終が収録されていることがわかった。少なくとも二枚のシールをペットボトルから剝がす瞬間が見て取れるので、証拠としては十分といえるだろう。しかし、警察など司法関係者以外に防犯カメラの映像を公開してはいけないという社内規則があるらしく、その映像を本人に確認させることはできない。証拠になりうる映像が見つかったことを少年に告げたマネージャーは、このまま否認を続けるならば警察に通報すると冷たく言い渡した。すっかり狼狽して、目に涙をためながら両手の拳を固く握りしめてうつむいた少年は、座っているパイプ椅子が音を立てるほどに激しく体を震わせている。すると、突然に顔を上げてほえるように叫んだ。

「どうせないから、見せられないんだろ？　証拠があるなら、いますぐ見せてみろよ！」

「素直に謝ったら許してあげようと思ったけど、そこまで言うなら仕方ないね」

「やっていないものは、やっていない！」

「わかった。じゃあ、おれもとことん付き合うよ」

怖いくらいに厳しい顔で席を立ったマネージャーは、目の前にある固定電話の受話器を上げて警察を呼んだ。これほどまでに否認を続けるのは、きっとなにか理由があるはずだ。話を聞いてみたい気持ちになったが、異様に興奮した面持ちでわなわなと体を震わせる少年に話しかけることはできなかった。

しばらくして二人の警察官が現場に到着した。落ち着きを取り戻しつつあった少年の体の震えが、警察官を前にして急に激しさを増した。

「シールだけ剝がして、なにすんだ？　ちゃんと買ってから剝がせよ」

「いや、そんなことはしていません。証拠もないのに、ひどい話です」

おそらく、根は正直な子なのだろう。嘘をつくたびに体を震わせる少年の姿がだんだん不憫に思えてくる。

「じゃあ、このシールは、どうした？」

「これは、前から持っているやつで……」

少しイラついた様子の警察官が少年の身分を確認すると少年は十七歳の高校生で、この店から歩いて十五分ほどのところに両親と暮らしているという。所持品検査の結果、少年のポケットからは持たせたものと別のシールが七枚も出てきたが、いまだ否認を続けている。しびれを切らして、防犯カメラの映像を検証することにした警察官は、マネージャーに頼んでペットボトルに貼ってあるシールをつまんでいる瞬間を再生させた。犯行の瞬間を一時停止してモニター画面を接写すると、その写真をカメラで確認しながら少年に通告する。

「おい、お前、やっているじゃないか。もう、いいかげんあきらめろ」

「ごめんなさい！　動画を全部見たかっただけなんです。お願いです！　学校には言わないでください！　ウアーン」

決定的な写真を提示されて一瞬にして絶望の表情になった少年は、すぐに降参して幼児のように号泣した。動画に対する自分の情熱を知られることが恥ずかしくて否認を続けたようだ。店内でペットボトルに手を伸ばす少年の写真は、グリコ森永事件で公開された手配写真を彷彿させ、キツネ目の男の末裔を見たような気持ちになった。

エセ保安員

つい先日、都内の繁華街に位置する大型スーパーで勤務していると、他者からの強い視線を感じた。捕捉された経験をもつ万引き常習者などは実行前に保安員の存在を確認することがあるため、私たちは見られることにも敏感なのだ。周囲を確認すると、四十歳前後とおぼしき体格のいい男性が、チラチラと私のことを気にしている。明らかな早足で移動してみても、しっかりとついてくるので、無用のトラブルを避けるべくいったん身を隠すことに決めてトイレに向かうと、私の行き先を気にするように入り口の手前までついてきた。

「気持ち悪いヤツだ。前に捕まえたヤツか、テレビ放送を見られたか……」

付け回される理由を考えながら、男をやり過ごすためにトイレで時間を過ごしていると、店から持たされている保安員専用のＰＨＳが鳴らされた。急いでボタンを押して電話口に出てみれば、妙に慌てた様子のマネージャーが、ものすごい早口でしゃべり始める。

「いま、どこですか？　地下の食品売り場に、なんか変な男がいるので、大至急見てほしいんですけど」

「ちょうど地下におります。どんな男ですか？」

「四十歳くらいの、大柄な男です。お客さんを見て回っているので、痴漢とかスリかもしれません」

「あの男だ……」

マネージャーとの通話を終えて売り場内を探索すると、男はすぐに見つかった。自分の存在を認知されながらも、相手に気づかれないよう注視しなければならない状況の緊張感は計り知れない。職業柄、正体がバレてしまっては仕事にならず、なにを見ているんだと絡まれることもあるので、細心の注意が必要なのだ。努めて慎重に追尾すれば、商品には目もくれず、店内を見回したり、客る。

の後をつけている様子が見て取れた。どうみても買い物にきたようには見えず、その目的が気になる。

［こいつ、なにがしたいんだ？］

男の目的を探りながら追尾していると、複数の和牛肉パックを抱えた中年女性が私の前を通り過ぎた。普段の習性から、ついつい足を止めて動向を見守れば、不思議なことに男も同じように足を止めて、まさに保安員といった体で商品棚のエンド（商品棚の端）から中年女性を注視している。間もなく、和牛肉パックをバッグに隠した女は、続けて手にしたホタテのパックも同様に隠して、そのまま店の外に出ていった。声をかけるべく後を追うと、女と私の間に男が割り込むように入ってきた。

［まさか、声をかけるのか？］

幸いにも私の存在には気づいていない様子なので、そのまま追尾して状況を見守っていると、店の外に出た女が男に声をかけられた。会話の内容まではわからないが、隠した和牛肉パックを出しているので、そのことについての話にちがいない。

［刑事なのかな？　これから、どうするつもりなんだろう？］

近頃は、盗撮などの犯行を現認して被疑者から金銭を脅し取る「盗撮ハンター」による事件なども発生しているため、ここで声をかけることはせず、事態の推移を慎重に見極めることにした。二人の行き先を確認すると堂々と事務所に入っていくので、そこで声をかける。

「警備の者ですが、入店手続きは、おすみですか？」

「いえ、いま万引きした人を捕まえたので連れてきました。店長は、いらっしゃいますか？」

「あなたは？」

「これを、専門でやっている者です」

少し待ってもらうよう伝えて、ＰＨＳでマネージャーを呼び出し、事態の詳細を説明する。すると、首を傾げたマネージャーが、どこか誇らしげに胸を張る男に尋ねた。

「たまたまっていう感じじゃないですけど、警察の方ですか？」

「いえ、実はいまフリーでこの仕事をしていまして、お仕事をいただけないかと……」

「はあ？　営業のデモンストレーションってこと？」

「まあ、そんな感じです」

もみ手をしながら、ごますりの笑みを浮かべる男に、あきれ顔のマネージャーが怒気を強めて言った。

「こちらの許可もなく、こんなことを勝手にやられたら困るんだよ。なにかあったら、どう責任取るんだ？」

「え？　そんな言い方ないじゃないですか。お礼もなしで……」

「よけいなことされたうえに、お礼しろなんて、冗談じゃないよ。仕事を頼むこともないし、迷惑だから二度と来ないでもらえるかな」

「ああ、そうですか。わかりましたよ」

怒りや恥ずかしさからなのか、とたんに顔を赤らめた男は、乱暴にドアを開けて大きな音を立てながら出ていった。一人置き去りにされた女がポツリとつぶやく。

「あの、私は、どうなるんでしょうか？」

「私も見ていたので問題ありません。バッグに入れたお肉とホタテ、全部出してもらっていいですか？」

事務室内のパイプ椅子に座ってもらい、デスクに商品を出させると、計五点、合計七千円分ほどの商品が出てきた。被疑者の女は五十歳の専業主婦で、この店の近くに家族四人で暮らしているという。所持金を尋ねれば二万円ほど持っていて、金に困っての犯行ではなさそうだ。同じことをして捕まった経験が複数回あるそうで、半年ほど前に罰金刑を受けて二十万円ほど支払ったばかりなのだと、まだ聞いてもいないことをまるでひとごとのように話している。

「きょうは、どうしたんですか？」

「あした、家族でバーベキューやるから、つい……」

「盗んだ肉を家族に食べさせて、楽しいバーベキューになるかなあ」

「そうですよね。恥ずかしいです」

警察への通報を終えて戻ってきたマネージャーが、うなだれる女の前に立っていやみっぽく言った。

「A5ランクの和牛肉なんて、おれもなかなか食べられないよ。いいなあ、あんたは。いつでも簡単に食べることができて」

見るからに怒り心頭のマネージャーは被害届を出すと熱くなっていたが、逮捕者である男の供述調書が作れないことを理由に不受理とされた。仕方なく厳重注意のうえ、女に商品を買い取らせることで事態は終結した。イライラの絶頂に達したマネージャーが自分のデスクを蹴飛ばしてしまい、店長に怒られたうえ、足の小指を骨折したのがかわいそうでならなかった。

従業員の裏切り——頻発する内部不正の実態

商店での内部不正の実態

「刑法第二百五十三条

（業務上横領）

業務上自己の占有する他人の物を横領した者は十年以下の懲役に処する」

昨今、従業員による内引き被害が後を絶たない。日本の小売業界での内引きの年間被害は一千億円を優に超えるとされ、これに納入業者による不正を加えれば、二千億円を優に超える被害をもたらしているという説もある。反復継続しておこなわれる巧妙な犯行は証拠を確保するのが難しく、その被害が明らかになったとしても、そうそう身内を疑うわけにもいかないので、簡単に摘発することはできない。ある業界では、万引き被害よりも内引き被害のほうが深刻で、まともな人材の確保が大きな課題になっているようだ。あまり知られていないことだと思うが、私たち保安員は、従業員による内引きや不正行為にも対応している。レジ不正に手を染めたり、自店商品を勝手に持ち去ったりする従業員を内偵して検挙することもあれば、商品に対する異物混入事件などの警戒にあたることも珍しくないのだ。

ベテラン従業員のケース

当日の現場は食品スーパーTだった。東京郊外の緑豊かな街にあるスーパーマーケットだ。この日の勤務は、午前十時から。初めての現場であるため、いつもより早く起床して時間に余裕をもって現場に向かった。ありがたいことに行きの電車内は空いていて、座席でうたた寝をしているあいだに到着していた。最寄駅から現場まで、田舎の雰囲気が漂う街道を歩く。街なかに人の姿が見えないことに気づいて、現場の客入りが心配になった。店内犯罪の多くは、人混みに紛れて実行されるため、客入りが悪いと捕捉効率が下がるのだ。

店長に挨拶をすませて店内に入ると、案の定、店内は閑散としていた。さほど広くない店なので、不審者が一人でもいればすぐに気づける状況だが、品出しをする従業員ばかりが目につき、こちらが監視されているような居心地の悪さを感じる。そのあとも客足は伸びることなく、特に気になる不審者を目にすることもないまま時間ばかりが過ぎていった。こうした一日は時の経過が遅く感じられ、とてもつらい気持ちになるものだ。業務終了まであと二時間。心の中で自分の存在意義を問いながら、暗い気持ちで店内の巡回を続けていると、小太りの中年女性が目に留まった。まるで般若のような怖い顔をして、カート上に載せたカゴにあるチーズ入りウインナーをつかみながら歩く姿が、とても気になったのだ。

「入れた！」

この店いちばんの死角通路で手際よくチーズ入りウインナーを自分のバッグに隠した中年女性は、続けてカゴにあるほかの商品も隠すと、精肉売り場に向かっていく。カゴに残るモノを確認すると、白菜やもやし、ホウレンソウといったかさばるものばかりで、さらに犯行を続けるとなると、次に手に取る商品を隠すにちがいない。これまでの経験からそう判断して追尾していると、黒毛和牛のシールを貼ってある焼き肉用スライス肉を二パックとフランクフルトをカゴに入れ、間もなく死角通路に舞い戻って、それらすべてをバッグに隠した。明確な現認がとれたために捕捉するべくさらに追尾を続けると、レジ店員となにやら談笑しながらカゴに残る野菜の精算をすませ、しきりと後方を振り返りながら店の外に出た。

「こんばんは、店の者です。バッグのなかに隠したモノの代金、お支払いいただけますか？」

「……」

「認めないなら、いますぐ警察を呼ぶことになっちゃうけど、いい？」

「ごめんなさい」

しばし沈黙したあとで犯行を認めてくれた女に事務所までの同行を求め、店内にある事務所に向かって歩き始めて間もなく、胸に手を当てた女が苦しげな様子で足を止めた。おそらくは、捕捉されたことで胸がいっぱいになり、うまく呼吸ができないのだろう。逃走する雰囲気は感じられないが、念のため腰元に手を置きながら、努めて優しく声をかけた。

「具合悪くなっちゃいましたか？　ゆっくり深呼吸して、落ち着きましょう」

「……いえ、そうじゃないんですけど」

「もう少し歩けます？」

「あの、実は、私……」

こらえきれない様子で嗚咽を漏らし始めた女が、私の胸倉をつかんですがりつくようにしながら声を絞り出す。

「あの、私……、ここの従業員なんです。ウワーン」

「ええ!?　それは、困ったなあ。店長、きっと悲しむよ」

「ウワーン。あたし、なんてことしちゃったんだろう。ごめんなさい、ごめんなさい」

「私じゃなくて、店長に謝らないと。目立っちゃうから、あまり大きな声出さないで」

ウソ泣きだったのだろうか。とたんに冷静さを取り戻した女は、覚悟を決めたかのように同行に応じた。事務所の扉を開くと、店長がパート希望者の面接をしていたので待機していると、居心地悪そうにたたずむ女の姿を見た店長が異変に気づいて声をかけた。

「どうしたの？　忘れ物？」

「いえ、そうじゃなくて……」

後方にいる私の姿を見つけたとたん、なにかを察したように顔を曇らせた店長が、うつむいて黙り込む女の頭越しに言った。

「まさか、違うよね？」

「すみません。従業員とは知らずに、見ちゃったものですから……」

「はあ？　ウソでしょ？　Ｓさん、開店から一緒にやってきたのに、そんなことしないでよ」

役職者や社員による内部不正が発覚した場合、なにかの間違いがあると大事になるので、すぐに捕まえることはしない。対象者に内偵を入れて、確実な証拠を固めたうえでクライアントに判断を委ね、その多くは担当者立ち会いのうえで摘発するのだ。しかし、私の存在は秘匿されているうえ、こちらも全従業員の顔を覚えているわけでもないので、勤務後に私服で犯行に及べば、その扱いは通常客と同じものになる。犯行の一部始終を現認したら、誰が相手であっても声をかける。プロの保安員ならば、必ずそうするだろう。

「あとで連絡する」とパート希望者に言ってすぐに面接を切り上げた店長は事務所入り口まで面接者を見送り、女をパソコンデスクの前に座らせた。早速、バッグに隠した商品を出すよう促すと、現認した商品のほかに、練り物セットと高級チョコレートも出てきた。計六点、合計で四千円ほどの被害だが、五千円ほどは手持ちがあるというので商品の買い取りはできそうだ。

「とりあえず会計してくるから、そっちの仕事、先にすませちゃって」

事務処理を終わらせるべく身分を確認させてほしいと言うと、これしかないと社員証を提示した。雇用主からすれば、これほどいやな社員証の使われ方もないだろう。そう思いながら話を聞けば、この店のオープンから二十年以上にわたって勤務しているらしく、きょうで退職することになりそうだと頭を抱えている。立ち上げメンバーは店長と彼女の二人しか残っていないと話しているので、この店では店長に次ぐ立場にある人物ということで、今後の展開が気になった。すると、会計をすませた店長が、なお動揺と興奮を隠せずに、声を震わせて言った。

「こんなに盗って、初めてじゃないよね？　怒らないから、正直に話してくれる？」

「はい。正直言うと、来るたびにやっていました」

「はあ？　オープンから、ずっとってこと？」

「はい、すみません。私、きっと病気なんです。ウワーン」

泣き伏す女を無視してポケットからスマホを取り出した店長は、今後の処理について本部の意向を確認しはじめた。彼女にとっては、このうえなくシビアな内容の会話にちがいない。人によっては自傷行為などに及ぶこともあるため、電話の声をなるべく耳に入れないよう、いくつかの質問をして気をそらせる。

「同じことで警察に行ったことはありますか？」

「はい。近所のYとMで、一回ずつ……」

「どうして盗っちゃうの？」

「買うのがもったいないっていうか……。きっと病気なんでしょうね、私」

結局、本部の判断で即時解雇された女は、長年勤めてきた人だからと温情が与えられ、警察を呼ぶことなく処理された。民事上の賠償請求もしないというので、結果だけをみればヤリ得のような結末だ。今回の事実を付記した退職届を書き終えて帰宅を許された中年女性は、護送車に乗せられる被疑者のようにハンドタオルで顔を隠しながら立ち去っていった。自転車にまたがって逃げるように走り去る彼女の背中を見届けた店長が、ぼそりとつぶやいた。

「まいったなあ。ただでさえ人手不足なのに、あしたから大変だよ」

「そうですよね。本来であれば、内部不正の摘発は本部の許可を得てからするものなんですが、気づかなかったものですから……。よけいな面倒をかけて、申し訳ありません」

「いえ、長い付き合いだったし、あんな人だとは思っていなかったからショックだけど、仕方ないです。あ、面接の人に連絡して、あしたから来てもらうことにしよう」

業務を終えて駅に向かうと、駅前のロータリー脇のベンチに、一人地面を見つめるくだんの女の姿があった。気づかれないように早足で改札を通過したことは、言うに及ばないだろう。

店長のケース

大手ディスカウントストアで、店長による内引き事案に遭遇したこともあった。大型テレビやゲーム器本体、それに高額掃除機などといった換金可能な商品を次々と自分の車に積み込んで持ち去っていく現場を目撃したのだ。その店長は捕捉した万引き犯に対して優しく説諭するタイプの人だったため、明らかに未精算の商品を積み込む光景を初めて見たときには、なんらかの事情で商品を運搬しているのではないかとも考えた。しかし、悪意に満ち溢れた目で周囲を警戒しながら、こそこそと商品を持ち出す動きを見れば、悪事をはたらいているとしか思えない状況だ。今回の被疑者はこの店の商品管理者である店長なので、いまここで捕捉したとしても犯罪を成立させられない。

被害者と加害者が同一人物になってしまうため、商品の所有者である本社側から被害届を出してもらわなければ事件化できないのである。ちなみに、内部不正の摘発業務は、別契約となる。深夜に及ぶことはもちろん、長期にわたって複数人の派遣が必要なケースもあるので、通常料金よりも割高になってしまうことは否めない。

内部不正摘発業務を正式に引き受けたある夏の日の深夜、当時の相棒と現場に入った私は、駐車場内の店舗出入り口が一望できる場所に身を潜めて店長の車を見守っていた。相棒は、エレベーターの動きを監視し、クライアントの本社から駆けつけた立ち会い担当の常務は、店の近くに車を止めて私たちからの連絡を待っている状態だ。もし以前に私が目撃したときと同じように多数の商品を持ち出せば、常務に通報して、店長が商品を車に積み込むと同時に声をかけるという段取りだった。

閉店のアナウンスが終わり、すべての照明が落とされると、間もなく事態は動いた。大量の商品を載せたカートを押した店長が真っ暗な店内から駐車場に出てきて、躊躇することなく自分の車に商品を積み込み始めたのだ。その様子を確認した相棒が連絡を入れて間もなく、常務の車が猛スピードで駐車場に入ってきて、店長の車に横付けした。刑事ドラマさながらの光景に興奮しながら、捕捉役である私もぼうぜんとたたずむ店長に駆け寄る。

「お疲れさん」

「ヒッ！　じょ、常務……」

私たちが見守るなか、直属の上司である常務に声をかけられた店長は、ひどく慌てた様子でトランクの扉を閉めた。でも、まだカートに残っている商品は、どうにも隠しきれないでいる。

「事務所で話を聞かせてもらおうか。商品は、保安員に預けていいから」

いや応なく事務所に連行された店長は体を震わせながら犯行を認め、机の下に潜り込んで泣き始めた。穴があったら入りたいというのは、まさにこのことを言うのだろう。

今回の被害品は、テレビや炊飯器などの家電製品をはじめ、ビタミン剤を中心にした医薬品や人気の基礎化粧品、高級調理器具、ゲームソフトなど計二十四点にのぼった。被害総額は十五万円を超えていて、警察を呼べば逮捕確実な状況だ。

「キミ、今夜だけじゃないよな？　正直に言えば警察ざただけは勘弁してやるが、どうだ？　言っておくが、いままでの証拠も、たくさんあるぞ」

「申し訳ありません。弁償いたしますので、警察だけは……」

金を払えば許されるという問題ではないといつもは万引き犯に厳しく接している店長が、彼らと同じセリフを吐ける心境が理解できない。結局、店長は涙ながらに過去の犯行も白状し、被害弁償を約束した書面を交わすことで警察への通報は見送ることになった。

怒り心頭の様子の常務からその場で懲戒解雇処分の通告を受けた店長は、後日、会社から損害賠償請求訴訟を起こされた。長期にわたって換金率の高い商品ばかりを盗んでいたため、その被害は甚大で、自宅を売却して清算したという。その後、自殺してしまったと風の噂に聞き、少しだけ胸が痛んだ。

内部不正は、灯台下暗しという言葉を地でいく卑劣な犯行だ。発覚しにくいために、一度手を染めてしまえばその誘惑から逃れることは難しい。しかし、きっと誰かに見られている。商店で働く人たちは、自分の人生を棒に振らないためにも、そのことを肝に銘じて業務にあたってほしいと願う。

保安員の息子

過日、女性万引きGメンがドラッグストアで万引きをして、警戒中の同業者に逮捕されるという事案があった。彼女の愚行は業界全体の信用を大きく失墜させるもので、その罪は重いと言わざるをえない。万引き犯を摘発する立場にある保安員が万引きするなど言語道断の行為で、同業者の端くれとして大きな憤りを覚えたものだ。

ここでは、関係者による犯罪行為のおかげでひどく気まずい思いをした経験を話したい。

当日の現場は、大阪の下町に位置する生鮮食品スーパーEだった。値段の安さと豊富な品揃えが評判で、地域いちばんの人気店として名を馳せる昔ながらの名店だ。この日の勤務は、開店時刻である午前九時から十七時まで。事務所に出向いて、三十代前半ぐらいの男性店長に入店の挨拶をすませると、壁に張ってある「出入り禁止の方々」というタイトルがついた一枚のポスターを見せられた。

「この人たちが来たら、必ず知らせてください」

そのポスターには二十人ほどの顔写真が不規則に並べられていて、少しでも顔を覚えるべく凝視すれば、どこか不潔な感じのする人ばかりで、みんな一様にふてくされた顔をしている。捕捉された万引き犯だけでなく、酒に酔って暴れた人や意味なく商品を損壊して回る人なども含まれているようで、写真の脇に「暴力をふるってきます」「焼き魚を指で押します」などという変わったキャプションがつけられている人もいた。

「もし来たら、どうするのですか？」

「出ていってもらいますよ。出禁なんだから、当たり前じゃないですか」

万引きをして捕捉された被疑者に、今後二度と店に出入りしない旨の誓約書を書かせる店は多く、それを約束すれば被害届を出さないですませることも珍しくない。ただし、無用のトラブルを避けるためなのか、たとえ約束を破って再来店したとしても厳しく対処する店は少なく、それとなく見守ってやりすごすのが通常の対応といえるだろう。しかし、この店は違うようだ。

「ずいぶんと、厳しくしているんですね」

「このへんは酔っ払いも多いし、あまり治安のいい街じゃないから仕方ないよね。約束は、きちんと守ってもらわないと」

ここに万引き犯を捕まえてきたら、どんなことになるのだろうか。非常に厳しい対応を見せそうな気配に気が抜けない一日になると思った私は、いつにも増して気合を入れて巡回を始めた。

気がつけば、業務終了まであと三十分。成果がまるで出ない状況に焦りながら巡回していると、お菓子売り場の通路に一人たたずむ小学校高学年くらいの少年が目に留まった。なにをしているのか、下を向いてごそごそとしている姿が気になったのだ。違和感を覚えて動向を注視していると、商品棚に目を移した少年はにらむような目で周囲を警戒しながらペッツのリフィル（八個入り）を手に取った。上着のチャックを開けてそれを脇に挟んで隠した少年は、すぐにチャックを閉めて出

家に連絡しないでと店長に泣きつく少年

口に向かって歩いていく。

「ねえ、ぼく。お菓子のお金、払ってもらわないと困るんだけど……」

「……え？　ごめんなさい」

外に出たところで声をかけて事務所まで連れていく道中に話を聞けば、この店の近くに住んでいるという少年は小学四年生で、きょうは一人で来たと話している。事務所で懐に入れてしまった商品をテーブルの上に出させると、ズボンのボタンの上からドナルドダックが顔を出しているのが見えた。おそらくは、下を向いてごそごそしているときに入れていたのだろう。ペッツのリフィルのほかドナルドダックのディスペンサーも盗っていたのだ。被害総額は八百円ほどになるが、少年が持っていたマジックテープ式の財布には二百円足らずしか入っておらず、商品を買い取ることはできない。まだ小学生だからと、警察は呼ばずに保護者に迎えにきてもらうよう私に指示した店長は、少年に断りを入れて写真を一枚撮るとバタバタと売り場に戻っていった。

「怒られるからいやだ。ママには知られたくない」

駄々をこねて保護者の連絡先を教えようとしない少年に、このままだと警察を呼ぶことになってしまうと優しくも厳しい口調で通告する。警察という言葉を聞いてすぐに降参した少年は、財布から自宅の電話番号を書いたメモを取り出した。事務所にいた女性マネージャーにメモを渡して連絡してもらうと、すぐに母親と連絡がつき、間もなく迎えにきてくれることになった。

「お母さんが来てくれるっていうから、もうちょっと待っていてね」

「ヒッヒッ……ウグッ」

頬全体を涙で濡らして嗚咽を必死にこらえる少年をなだめながら母親の到着を待っていると、この店を一緒に担当している同僚の女性Tさんが慌てた様子で事務所に入ってきた。

「あれ、Tさん。そんなに慌てて、どうしたの?」

「あ、ゆうさん。実は……」

「いま処理中なんだよね。話があるなら、ちょっと待って……」

「いえ、違うんです。実は、私、この子を迎えにきたんです」

そう言って、しゃくり上げる少年の脇に立ったTさんは、その場で涙を流し始めた。瞬く間に頬を濡らすさまが少年の泣き方と同じで、本当に親子なのだと確信したことを覚えている。

彼女とは研修会で顔を合わせる程度の関係しかないが、会社の同僚であることにちがいなく、あまりの気まずさに言葉を失った私は、事務的に処理を進めることで早くこの場から脱出しようとした。それを察したらしいTさんも、財布をいじって釣り銭がないように商品代金を用意すると、出入り禁止の誓約書に署名しなさいと自分の息子に迫っている。

「もう、この店に来たらダメなんだからね。わかった?」

「うん……」

「捕まってよかったんだよ。感謝しないと」

「はい……」

まるで自分が捕まえた少年万引き犯に説諭しているように見えるが、この二人の立場は加害者側だ。こちらが恥ずかしくなるような気分で二人を見守っていると、泣きながら誓約書に署名する親子を前に、なにか汚いものを見るような顔をした店長が吐き捨てるように言った。

「まったく、親子でなにやってんだよ。ほんと、どうしようもねえな。今月いっぱいで契約解除するって、あなたの会社にも伝えといて」

今月の契約日数はあと一日しか残っていない。すべての処理を終えて、気の利いた言葉をかけられないままTさん親子を見送った私は、一部始終を担当部長に報告した。部長はすぐに謝罪にいったようだが、店長は聞く耳を持たず、状況は変えられなかったという。

そうして迎えた契約最終日。Tさんに代わって現場に入り、入店の挨拶をするべく事務所にうかがうと、出迎えてくれた店長が気まずそうに言った。

「せっかく捕まえてもらったのに、契約を切っちゃって申し訳ない。自分のところで使っている保安員の息子が、母親の現場で万引きするなんて気持ち悪くて、どうしても許せなくてさ」

「いえいえ、仕方ないですよ。あんなこともあるんですねえ」

なにげなく壁に目をやると、少年の写真を追加した「出入り禁止の方々ポスター」が新調されていた。自分のせいではないが、とてもいやな気分になった。

万引きする女たち

お別れ会

仕事柄、客が手に取る商品を見て回っているため、流行や景気の変遷を実感できる。コロナ禍以降、食品スーパーでは和牛肉や天然物のマグロといった高級品を手に取る客は減り、カゴはモヤシやタマネギ、練り物、プライベートブランドのインスタント食品、酒類などばかりが目立つようになった。その一方、生鮮食品や菓子の売れ行きは悪いようで、売り場に出す商品を少なくしている店も散見される。棚から手に取られる商品も少なくなっていて、カート上に商品を満載して持ち出すカゴヌケの手口を用いる被疑者がこれまでよりも目立って見える。ここでは、カゴ抜けの手口を用いて万引きした主婦について話そう。

当日の現場は、東京都下のベッドタウンに位置する大型スーパーE。広大な駐車場を有する平屋建ての大型店舗で、生鮮食品から衣類、日用品のほか、ドラッグコスメやインテリアまで扱う地域の人気店だ。かれこれ二十年以上お世話になっている店なので、店長をはじめほとんどの従業員に顔を知られている。居心地はよく、私のお気に入りの現場の一つといえる。いつものように入店手続きをすませて、バックヤードで行き交う従業員と挨拶を交わしながら事務所に顔を出すと、店長は休みで、かわりに特定エリアの保安関係を統括する立場にあるエリアマネージャーが対応してくれた。

「店長の休みに合わせて、受け持ちの店を順番に見て回っているんだけど、この店のロス（商品ロスのこと）がいちばん大きいんだ。なぜだと思う？」

「お店が広いわりに、売り場におられる従業員の数が少ないから、どうしてもやられてしまうでしょうね。魅力的な商品も多いですし、このへんの地域性も影響しているかと思います」

「そうだよね。やっぱり捕まえる以外の方法は、なかなかないか。じゃあ、きょうもお願いします」

ウンザリした表情で肩を落とすエリアマネージャーに送り出されて売り場に入り、店内の状況を把握するために軽く店内を一周したところ、商品らしき化粧品の空き箱や除去された防犯タグの残骸など、過去に万引きされた痕跡が複数見つかった。きっときょうも現れる。限りなく確信に近い予感を胸に、死角箇所を中心にして巡回を始めた。こうした予感がした場合、必ずなにかが起こるのだ。

午前中のピークを迎えた十一時過ぎ。コストコの大きなショッピングバッグをカートのフックにひっかけている三十歳前後の小太りの女性が目に留まった。女が押すカートには幼児向けのスナック菓子やチョコレート、二リットルのペットボトルなどの商品が箱買いの状態で満載されていて、なにかイベントの買い出しにでもきているような雰囲気を感じる。

「あんなにたくさん、一人で大変だな」

そんな思いで見守っていると、続いて複数のアイスクリームとオードブルセットをカートに載せて、レジのほうへと向かっていった。商品量が多いのが気になって、念のために精算確認をするべく注視すれば、レジに並ぶ人に紛れてフックにかけたショッピングバッグをカゴの上に広げた。あたかも精算を終えたような状態にして混雑するレジの脇をすり抜けた女は、レジからいちばん離れたところにあるサッカー台に陣取った。あまりに自然な動きに目を疑ったが、すべて精算していないことは明らかだ。特大サイズのショッピングバッグにすべての商品をきれいに詰めた女が、それをカートに載せて外に出たところで声をかけた。

「お客さん、店の者です。そちらの商品、ご精算いただかないと」

「え？　あ、はい。すみません、払います」

否認することなく素直に認めてくれたので事務所に来るよう促すと、とたんに態度を変えた女が言った。

「いえ、レジで払います。時間ないので、ついつい出てきちゃっただけですから。本当に、ごめんなさい」

そう言い放ち店内に向かってカートを押し始めたので、その手を押さえて制止すると、それを振り切るように走り始めた。重ねて制止しても聞く耳を持たずに、無理やり店内に戻ろうとするので、走って前方に回り込んで、カートの前に立ちはだかる。

「いいかげんにしないと、ここで通報しますよ。ご近所ですよね？　人目もあるから、落ち着いて」

「……わかりました。ごめんなさい」

事務所に到着して話を聞くと、これから子どもが通う幼稚園でお別れ会があるらしく、早くいかなければと財布を片手に慌てている。今回の被害は計七十六点、合計で一万円ほど。金を払わなかった理由を聞けば、初めこそ時間がないからだと言い張っていたが、盗品の精算をする段階になって本当の理由が明らかになった。

通報を受けて臨場した女性警察官が犯歴照会をすると女に前歴はなかったようで、被害額は大きいものの、小さな子どももがいることもあって、今回は簡易処分ですませることになった。警察署に連行される前に、盗んだ商品の精算をするよう警察官に促された女は、財布から一枚のカードを出して言った。

「現金の持ち合わせがないので、カードでお願いします」

ところが、カードの利用が停止されているようで、何度やっても支払いが完了できない。困惑した様子で、ほかのカードがないか財布をいじる女に、女性警察官が鋭い質問を浴びせた。

「これ全部、幼稚園のお別れ会で出すつもりだったんだよね？」

「はい、そうです。早く届けないと、間に合わない……」

「私も子どもいるからわかるけど、こういうのって、みんなの積立金で準備するものでしょう？あなた一人で支払うわけじゃないですよね？」

「……実は、私が会計係なんですけど、生活費が足りなくて使っちゃったんです」

結局、身柄引受人として同居する女の母親が呼び出され、代金を支払ってもらって事態は終結した。買い取った商品は、おばあちゃんが幼稚園に届けることになった。自分の娘が一度手をつけた商品を買い取り、孫をはじめとするみんなのもとに届ける心境はどのようなものか。必死の形相で大量の商品を白い軽自動車に積み込み、慌てた様子で走り去る老女の姿が、哀れに思えてならなかった。

おもらし

雨の日は、客足の悪さに比例して、捕捉率も下がる。万引きは一般客に交じっておこなう犯罪なので、客が少ない雨の日は、万引きする人も少ないのだ。なにもないことがいちばんだと店の人たちは言ってくれるが、実績がなければ信用されない。この仕事を長いことやっていると、ついつい油断してしまうのかスランプに陥ることもある。成果の出せない日が続くと自分の存在意義がなくなるような思いで過ごすことになる。もちろん、まったくやられないというわけではなく、人影がない店内で万引きを繰り返す人もいる。以前、台風で荒れる天気のなか、東京の湾岸地域のショッピングモールで体格がいい専業主婦を捕捉した。被害品は、ブランド物のハムやベーコン、ウインナーなどで、カゴを持たずにおびえた様子で、しきりと後方を振り返りながら店内を徘徊する彼女を追尾した結果、自分のトートバッグに商品を隠すところを現認したのだ。

「店内保安です。なんで声をかけられたか、おわかりですよね？」

気が小さいのか、店の外に出るまで執拗に後ろを振り返り続けていた女は、私に声をかけられると目を見開いて体を震わせた。風雨がひどく、返事を待つことも困難な状況なので、彼女の手を引いて店内に引き戻した。

「おわかりですよね？　事務所まで、ご一緒いただけますか？」

「はい、ごめんなさい。わかりましたから、先にトイレに行かせてください」

こうした要求に、私たち保安員が答えることはない。盗んだ商品を特定して、身分確認をすませ、警察官に引き渡すまでは我慢してもらうのがセオリーなのだ。もちろん逃走や証拠隠滅をさせないためというのが大きな理由だが、過去にトイレで手首を切って自殺を図った被疑者もいたので、あらゆる事故を防止するためというべきかもしれない。こらえきれなかったのか、いやがらせなのかはわからないが、もう我慢ならないと事務所内で尻を出して大便してみせたホームレス男性もいた。しかもそれは、固形ではなく液状化しているほうだった。ニオイも強烈で、思わず事務所から逃げ出したが、なぜか店員と二人で後始末する羽目になり、半ベソをかきながら掃除したことを思い出す。

「申し訳ないけど、ちょっとだけ我慢していただけませんか？」

「あの、我慢とかじゃなくて、もう出ちゃったんです……」

「え？」

うつむく女の下半身に目線をやると、パンツに雨で濡れたのとは違う大きなシミが、内股から膝まで広がっていた。それでも、盗んだ商品と身分の確認を終えてからでないとなにをされるかわからない。いや応なしに事務所に連れていくと、わずかな距離を歩いただけで息切れした女は、事務所に入るなり断ることなく目の前の丸椅子に腰を下ろした。

「ちょっと、あなた。座ったら椅子が汚れちゃうじゃないですか」

「ごめんなさい。私、〔若年性〕更年期障害で疲れやすいもんですから、つい……」

立った状態で身分確認などの事後処理を進めていくと、三十一歳で、この店の近くにあるタワーマンションに住む専業主婦であることがわかった。部屋番号から考えて三十階よりも上のようで、さぞかし景色がいい部屋なのだろう。それを見た女性店長が、いやみたっぷりな様子で女に言った。

「あんなに立派なタワーマンションにお住まいなのに、なんでこんなことするんですか。粗相までして、どれだけ迷惑かければ気がすむのよ」

「本当に、すみません。実は、夫と離婚することになって、来週には引っ越さないといけないんです。生活費ももらえてないし、なるべくお金を使いたくなかったから……」

次にバッグに隠した商品を出させると、この店で盗んだ高級ハムやベーコン（二千五百円相当）のほかに、この店では扱っていないかわいらしい子ども向けのハンドタオルやキーケース、ハンドバッグなどの商品も出てきた。すべてが新品であるうえ、値札がついたままの状態なので、いましがた盗んできたとしか思えない。女に尋ねると、この店に隣接する人気雑貨店で盗んできたと、あっけなく白状した。複数の店舗で万引きすることを私たちは「ハシゴ」と呼んでいるが、ここまでになるのは常習者といえるだろう。

「こんなに盗んじゃって……。きょうは、どうしちゃったんですか？」

「あしたは、娘の誕生日なんです。誕生日プレゼントを買ってあげるお金もないから仕方なかったんです」

女の話に嘘がないとすれば、かなりの苦境にあるようだが、盗んだ商品でまな娘の誕生日を祝う心境は理解できない。それを聞いた店長もあきれてしまい、近くの店員に商品の下着とスエットを用意させると、女のトイレに付き添うよう指示してから売り場に出ていった。間もなくキッチンペーパーと除菌スプレーを手に戻ってきた店長が、それを私に押し付けるようにして言った。

「通報してきますので、あとはお願いできますか」

どうやら掃除を担当するのは、またしても私のようだ。濡れた丸椅子の黒い合皮には、女のお尻の形がくっきりと残されていて、とてもいやな気分になった。

8番の女

万引き常習者の多くはいつも同じような服装で来店し、毎回同じところで同じような商品を隠す。おそらくは、過去の成功体験がそうさせるのだろう。自分の悪行がバレていない自信があるからこそ、同じことが繰り返せるのだ。ここでは、服装があだとなって捕捉に至った女常習犯について話していく。

当日の現場は、関東郊外の住宅街に位置する大型ディスカウントスーパーKだった。食品をはじめ、衣料品やドラッグコスメはもちろん、カー用品や家電製品まで、さまざまな品物を扱っている昭和感が漂う老舗店だ。建物の構造が古いこともあって、広大な二フロアの売り場は死角だらけで、防犯機器もわずかしか設置されていない。その捕捉率は、それまで勤務に入ってきた商店のなかでも上位にあり、地域に潜在する高齢常習者をはじめ、小学生から外国人窃盗団まで、ありとあらゆる万引き犯が集まってくる、検挙が絶えない現場といえる。

この日の勤務は午前十時から。総合事務所まで出勤の挨拶に出向くと、いつもよくしてくれる店長が満面の笑みで出迎えた。

「そういえば、最近、変な女がよく来ていてさ。たぶん、やっていると思うんだよね」

「どんな人ですか?」

「四十歳くらいかなあ。小柄で色の黒い、ショートカットの人でさ。いつも背中に「8」の数字が入った派手なジャンパーを着てくるから、すぐにわかると思うよ。「8番の女」、きょう来るかわからないけど、注意してみて」

どれほど派手なジャンパーなのかわからないが、すぐにわかるというので相当に目立つ人なのだろう。不思議なもので、万引き常習者は派手な服装をしていることが多く、店長の言葉に説得力を感じて警戒にあたった。

午前中に、二本のビールを盗んだ八十三歳の高齢女性を警察に引き渡し、店の休憩室で弁当をつつきながら警察官と微罪処分の処理をして現場に戻ると、間もなく無数のワッペンをつけたピンクのスタジャンに水色のスパッツという奇妙な服装の女性に目を引かれた。三十代前半とおぼしき色黒の女性だ。右肩にかけられた特大サイズのエコバッグも気になって、相当に離れたところから行動を見守れば、カートを押す女性の背中に大きな「8」の字のワッペンが貼ってあるのが見えた。

「この人が「8番の女」か。カゴになにも入っていないし、いま来たところかな」

見ていると、女は、入り口脇にある高級青果コーナーで箱入りのあんぽ柿をカゴに入れ、次に鮮魚コーナーで本マグロの刺し身と酢ダコを、続いて精肉コーナーですき焼き用の黒毛和牛スライスを二パック手に取ってカゴに入れた。値段を確認することなく次々と高額商品を手にしていて、まるで支払い意欲が感じられない。続けてビールケースと十キロの米をカートの下段に載せて、人けがない日用品売り場に移動した女は、肩にかけた特大エコバッグを上段のカゴに入れた商品を覆い隠すように配置して歩き始めた。通常客の歩行速度を大きく上回る早足で店内を歩くので危うく見失うところだったが、派手な服装を目印にしてくらいつく。居並ぶレジカウンターの脇をすり抜けてレジとサッカー台の間を通過した女がそのまま店の外に出ていくので、呼び止めるべく近寄ると、先ほどまで一緒にいた警察官が前方から歩いてくるのが見えた。前を行く女もその姿に気づいたらしく、明らかに歩行速度を上げてこの場から逃れようとしている。なにか用事でもあるのか私の姿を目にしてほほ笑みかけてきた警察官に、目と顎で合図をしてから女に声をかけた。

「こんにちは、店の者です。これ全部、お支払いいただかないと……」

「え、いや、車にポイントカードを忘れちゃって、取りにきたんです。ちゃんと払いますよ」

「いや、商品をバッグで隠して、お金払わないまま外に出たらダメなんですよ。そんな言い訳は通らないと思いますけど、もし否認されるなら、こちらの警察官とお話しいただけますか」

「……」

声をかけるところから状況を見守っていた警察官が正面に立ちふさがって女の前に立ち、うんざりした表情を隠すことなく言った。

「またですか、まいったな。ちょっとおねえさん、お店の人がお金もらってないって言っているけど、実際のところはどうなの？」

「いや、ポイントカードを車に忘れて……」

「そんなこと聞いてない。お金払ったのか、払っていないのか、それを聞いているの。どっち？」

「まだ払ってないです」

明らかにいら立っている様子の警察官から少し強い口調で同行を求められた女は、腰元をつかまれた状態で事務所に向かった。事務所に入ると、傍らのデスクで焼きそばパンを食べていた店長が目を丸くして叫んだ。

「え、また？　あ、「8番さん」じゃん。やっぱり、やっていたか。そうだよなあ！」

「店長、この人のことご存じなんですか？」

警察官の問いかけに、鬼の首を取ったような顔をした店長が女を見下ろしながら言う。

「ずっとマークしていた人です。あんた、しょっちゅうやっていたろ？」

「いえ、そんなことないです。車にポイントカードを忘れただけなんです。信じてください！」

未精算の商品は計七点、被害合計は二万円を超えた。女の前歴次第では逮捕もありうる大きな被害額に、一人目の処理を終えたばかりの警察官は、どこか投げやりな態度で女の身分確認を進めていく。報告書に記載するため了解を得たうえで財布に入っていた運転免許証を見ると、この店からほど近いコーポに住む三十四歳。警察官の問いかけに対して、いまは無職で、生活保護を受けながら生活していると話していた。所持金は二千円足らずで、クレジットカードなども持っていないようなので、盗んだ商品を買い取ることはできそうにない。所持品検査の結果、この店のポイントカードまで財布から出てきて、女の話がウソだということも明らかにされた。

「ポイントカードのことはさておき、どうやってお金払うつもりだったの」

「……」

警察無線から漏れ聞こえてきた女の扱い歴は六件。応援要請を受けて駆けつけた女性警察官に女の身柄を任せて今後の扱いを決めるため刑事課に相談の連絡を入れた警察官が、電話を切ると顔色を変えて言った。

「だめだ、こりゃ。この人、二階に上がってもらうことになったから、保安員さんも一緒に来て」

二階に上がってもらうというのは、女の扱いが刑事課に決まったことを意味していて、すなわち逮捕というわけだ。

「もうすぐ交代だっていうのに、時間かかるぞ、こりゃ」

警察署に出向く準備を整えて、きょうは残業になりそうだと店長に伝えると、財布から千円札一枚を取り出して私に言った。

「やっぱり、ベテランのGメンは違うね。いちばんの常習を捕まえてくれて、本当にありがたいよ。これで、ごはんでも食べて」

「いえ、困ります。お気持ちだけで十分ですから」

「いいから、いいから。少ないけど賞金だよ」

丁重に断るも、千円札を私のアウターのポケットに放り込んでそのまま売り場に戻ってしまった。やむなく受け取ったものの、被疑者のことを思えば喜ぶわけにもいかず、警察署に設置される交通遺児育英会の募金箱に投入してすませた。

摂食障害と万引き

摂食障害の影響で万引きしたと主張する被告に対する温情判決は、もはや珍しいものではなくなった。たとえ執行猶予中に再犯を重ねたとしても、治療を継続することなどを約束して反省の弁を述べれば、再度の執行猶予を得られるケースが増えているのだ。そのような病気であれば、万引きをしても仕方ないのだという世論が、いつの間にか定着してきているようだ。その背景には、刑務所での処遇困難者をこれ以上増やせないという事情も垣間見える。しかし、社会的地位が高い人や外国人が万引きで捕捉された場合の厳しい末路を思えば、その犯罪格差に首を傾げたくもなる。

摂食障害を抱える女子マラソン選手による執行猶予中の再犯事件以降、現場での被疑者の言い訳にも変化がみられる。報道の影響だろうか、摂食障害や認知症などの病気を理由に居直り、犯意を否定する被疑者が増えているのだ。実際の犯行現場を数多く見てきた私からすれば、彼ら（そのほとんどは女性だが）の主張をうのみにすることはできない。周囲を気にしながら好みの商品を死角に持ち込み、鬼気迫る表情で素早く商品を隠す様子を見れば、明確な悪意と犯意をもって盗んでいることは明白なのだ。

摂食障害を抱える万引き犯の多くは、一回の犯行で大量の商品（弁当、総菜、菓子、パン、果実、ドリンク、機能性健康食品、サプリメントなどが人気）を盗んでいく。そのほとんどが常習者であるため、捕まるまでに繰り返した犯行の分を考えれば許容できないレベルの損害を生じさせていて、その被害は深刻だ。日に日に損害額をつり上げていく彼らに対する怒りや憎悪は、換金目的の窃盗

摂食障害と万引きは、密接な関係にあるという

団に対する感情と同列、もしくはそれ以上だといえるだろう。被害者である店舗側からすれば、自分たちの生計を脅かす万引き常習者が病気かどうかなど関係なく、それに同情して許容することもない。

都内にある食品スーパーで、若い女性を捕捉したときの話だ。素直に犯行を認めた女を事務所に連れていき、大きめのトートバッグと持参したレジ袋に隠した商品をデスクに出させると、総菜や健康食品、菓子パン、果物、ヨーグルトなど、計二十四点、およそ五千円相当の食品が出てきた。

「きょうは、どうしたの?」

「すみません。悪いことだとはわかっているんですけど、病気の影響だから仕方ないんです。どうせ吐いてしまうモノだから買うのがもったいなくて……」

身分を確認すると、この店の近所に家族と住んでいる二十一歳の女子大生だった。捕まった経験があるか問うと、二週間ほど前にも万引きで捕まっていて、そのときは両親が迎えにきてくれて微罪処分ですまされたという。しかしそれをきっかけに家族との関係がギクシャクしてしまったようで、もし両親に迎えにきてもらえなかったらおばあちゃんにきてもらうと話していた。短期間での再犯は逮捕される可能性もあるのだが、無知なのか自分の立場を都合よく解釈しているようだ。

多くの万引き常習者と同様、同じ商品を二つずつ盗っているので、その理由も尋ねてみる。すると、自分が好きなものをできるだけ多くストックしたいからと答えた女は、在庫があるあいだは食べ物がなくなる不安がなく気持ちが落ち着くのだとはにかんだ。

「学校にも行けなくなっちゃったので、ずっと一人で部屋にいました。外出するのはこういうときくらいで、人と話すのも久しぶりなんです」

若い女性が家族と接触することなく部屋に引きこもり、万引きするためだけに外出し、盗んできたモノを食べては吐き出すという毎日を送っている事実が重い。そんな日々を過ごしていれば、抱える病気も悪化の一途をたどるほかないだろう。

「よけいなことを聞くけどさ、どうしてそうなっちゃったの？　ちょっと前までは、ちゃんと食べられていたわけでしょう？」

「はじめはダイエットのつもりだったんですけど、失恋してから拒食と過食を繰り返すようになっちゃって……」

生気を感じさせない真っ白な顔と痩せこけて突き出た目、そして割り箸のように細い手と脚をみれば、女の話が作り話でないことはわかる。それでも保安員の立場からすれば、これを最後にしてほしいという願いを込めて被疑者と接するほかなく、適切な治療を受けるよう勧めるくらいのことしかできない。

「病院にも行ってみたんですけど、お金がかかるし、治る感じもしなかったのでやめました。お金のことで家族に迷惑をかけるわけにはいかないので仕方ないんです」

家族には迷惑をかけられないと今後も窃盗を重ねて生きていくつもりらしい女は、警察署で調書をとられたあと、母親が身柄を引き受けることで帰宅を許された。今回は簡易送致されたので、おそらくは罰金刑に処されることになるだろう。彼女が、万引きの呪縛から逃れる日は、いつか。刑務所に入ることになる前に、心身の健康を取り戻してもらいたいものだ。

色仕掛け

万引き犯を凌辱するアダルトビデオがある。その影響からか、ここ数年、若い女性の万引き犯に警戒されることが増えた。声をかけて事務所への同行を求めると「私をどうするつもりなんですか？」とあらためて確認され、警戒心から腕を組んで胸元を隠す人までいる始末だ。それとは逆に、窮地を脱しようと色仕掛けしてくる者もいる。

数年前の夏、とある下町のショッピングモールで、露出度が高い派手な服装の若い女を捕捉したときのことだ。露出度は高いが、全体的に下品で、あまり見たくない、そんな気持ちにさせる服装である。大量の化粧品をバッグに隠して何食わぬ顔で外に出た女に声をかけると、事務所への同行に応じた女が言った。

「お兄さん、警察呼びますか？」

「おれが決めるわけじゃないけど、そうなっちゃうと思うよ」

「これ返すから、見逃してよ。もう絶対にしないし、お兄さんにも、お礼はちゃんとするから……」

そうなまめかしくつぶやいた女は、私の右腕を抱きかかえて豊満な乳房を肘に押し付けてきた。男性保安員が女性万引き犯を捕捉したときには、その体に極力触れないようにするのが基本だ。無理に触られたと言われてしまえば、いやが応でも警察から事情を聞かれることになり、こちらが加害者扱いされてしまうことにもなりかねないから細心の注意が必要なのである。

「フェラチオでもなんでもするから……。ね、お願い」

こんな挑発に乗ってあとから告発されたら、逮捕必至だ。黙って腕を振りほどいた私は、これ以上触られないように、女から一歩下がって事務所をめざした。

事務所の応接室で話を聞いたところ、まだ十七歳で、この店の近所にあるガールズバーでバイトしていると話した。姉と二人暮らしという家庭環境が、どこか切ない。盗んだ商品をテーブルの上に出させると、三十四点もの化粧品が出てきた。その被害額は、およそ四万二千円。未成年であることは考慮されるだろうが、警察に引き渡せば逮捕される可能性は捨てきれない。

ひととおりの事務処理を終えて店長を呼び出すと、そちらに狙いを変えたらしい女は、胸を見せつけるような前傾姿勢をとった。ついつい目をやれば、真っ赤なブラジャーが露出していて、角野卓造に似た五十代の店長も、粘り気があるいやらしい視線をチラチラと胸に飛ばしている。その視線に気づいた女は、店長を挑発するようにソファの上で身をねじると、不意に立ち上がって店長の膝の上にまたがった。

「警察だけは、勘弁してください。こんど警察に捕まったら、ウチ、少年院行くことになっちゃうんです……」

女に頭を抱えられるようにして顔に胸を押し付けられた店長は、もがきながら立ち上がると、髪の毛がない頭頂部を真っ赤にして言った。

「もう、仕方ないなあ。これっきりだよ……」

待っていましたとばかりに事務所から出ていく女を見送って応接室に戻った私に、いやらしい笑顔を浮かべた店長が言った。

「あの子の店、なんて名前だっけ？」

鼻の下を伸ばす店長にあきれてこの一部始終を本部に報告すると、間もなく店長は解雇された。万引き犯の色仕掛けに屈して職を失った心境はどのようなものか。姿を消した店長の消息は不明だ。

スナックの少女

ここ十数年、多くの地域から声をかけてもらって、さまざまな街でセミナーや現地指導をする機会を得てきた。北海道や岩手県、香川県では、万引き防止対策協議会に参加して、現地指導も含めたセミナーを定期的に開催してきた。テレビ番組のロケでは四国地方や大阪の西成地区での集中取り締まりに密着され、タイ、インドネシア、フィリピンとアジア三カ国でのセミナーや捕捉活動も経験した。東京の商店とは違う客足の少なさに苦しみながらも、いくつかの爪痕を各地で残すことで、自分の目が世界に通用することを実感できた。コロナ禍のために出張にいく機会やロケに入ることもなくなってしまったが、以前のように活動できることを祈っている。ここでは、四国地方で捕捉した二人の少女について話そう。

出張先の現場は、地元で有名な歓楽街の近くに位置する大型ショッピングモールYだった。食品のほか、日用品やコスメドラッグ、衣料品などの商品を扱っていて、フードコートをはじめ、ゲームセンターや映画館も併設している巨大ショッピングモールだ。当日の勤務は午前十一時から。入店手続きを終えて事務所に行くと、銀行員のような雰囲気をもつ四十代後半だろう店長に意外なほどの大歓迎を受けた。

「お待ちしていましたよ！　こっちには、私服警備をやられている警備会社が少ないもんですから、困っていたのです」

「そうでしたか。被害は、かなり頻繁にあるのですか？」

「東京の店と比べたらのんびりしていると思いますけど、ここは比較的ガラの悪い地域なので多いんですよ。常習さんもたくさんいるので、みんな捕まえちゃってください。費用もかかっていますし、なんとかお願いします！」

「はい、頑張ります……」

早口で窮状を訴えながら費用対効果の成果を暗に求める店長の言葉が、このうえないプレッシャーとなって私にのしかかる。期待に応えるべく気を引き締めて売り場に入るも、客数の少なさに愕然とさせられた。東京の現場と比べると、三割くらいの客入りしかないのだ。犯行の多くは人混みに紛れて実行されるので、客入りが悪ければ万引きされる確率も低くなる。たとえ常習者が現れても、一対一の状況に陥ってしまう状況では、気づかれることなく犯行を現認するのも難しい。

自分の実力が試されているような気分になった私は、メインの出入り口が見渡せる場所に身を潜めて、来店者の流れを観察することから始めた。しかし、店に来るのは幸福そうに見える家族連ればかりで、特に気になる人の入店はないまま時間だけが過ぎていく。どうやら、家族連れから発せられる平和なムードが、店内の防犯効果を高めているようだ。

「少し早いけど、休憩をとってしまおうか……」

現場の流れを変えるには気持ちを切り替えるのがいちばんいい。誰かに教わったことを思い出して休憩に入るべく弁当を選んでいると、十代半ばに見える女の子の二人組が店に入ってくるのが見えた。二人とも年齢にそぐわぬ派手なメイクで、胸元が大きく開いたシャツを着ておしゃれしているが、寝起き感が漂うボサボサの髪と足元の使い古したクロックスタイプの汚いサンダルがすべてを台なしにしている。どこを見ても、だらしない。そんな感じの二人の肩には、なにも入ってなさそうな大きめのナイロンバッグがかかっていて、幸せそうな家族連れのなかで強く異彩を放っていた。手にしていた弁当を戻して後を追うと、迷うことなく化粧品売り場に直行した二人は、売り場にいる店員を気にしながら化粧品やサプリメント、入浴剤、美容器具など多数の商品をナイロンバッグに隠していく。一瞬だけ垣間見えたバッグの内側には、銀色の紙（アルミホイル）が張り巡らされていて、防犯ゲート対策も万全のようだ。

商品を隠し終えた二人はエスカレーターに乗り込んで、映画館のほうに向かって歩を進めていく。最初は空に見えたナイロンバッグは、隠した商品でいびつな形に大きく膨らんでいて、二人が歩を進めるたびにアルミホイルのシャカシャカ音が聞こえてくる。

「映画館に逃げ込むつもりか？　敷居をまたいだら、声をかけよう」

そう心に決めて追尾すると、二人は映画館入り口の手前にある休憩スペースに入って、上映中の『君の名は。』（監督：新海誠）の大きな立て看板の後ろに身を隠し、バッグに隠した商品を床に並べ始めた。間もなく商品のパッケージを開けたため、犯意が成立した。気づかれないよう後方から忍び寄って、そっと声をかける。

「こんにちは、店の保安員です。それ、お金払わないとダメだよ」

「保安員？」

高額化粧品を大量に盗んだ二人組の少女

「万引きGメンって言ったら、わかるかな？」

「え？　ウソ？　マジ？　ウチら、万引きGメンに捕まったの？　マジ、ウケるんだけどー」

犯行は素直に認めてくれたものの、反省した様子がない二人は、事務所に向かう途中、万引きGメンに捕まったと妙なテンションで盛り上がっていた。

「ウチも、万引きGメンやってみたいんですけど、どうやったらなれますか？」

「前科があったらなれないよ。君は、大丈夫かな？」

「そりゃ、だめだあ。キャハハハ……」

捕まったことを楽しんでいるかのような二人の振る舞いに困惑しながら事務所に入り、ナイロンバッグに隠した商品を出させると、どことなくmisonoに似ている少女のバッグからは二十五点（三万四千円相当）

の商品が、どことなくハイヒールモモコに似た少女のバッグからは十八点（二万八千円相当）の商品が出てきた。いちばん高額なのは美顔ローラー（三千九百八十円）で、二人とも同じ商品を盗んでいる。

「こういうこと、いつもしてるの？」

「まあ、ぶっちゃけ金ないし、ここは楽勝なんで」

「このアルミホイルは、なんのために？」

「ゲートが鳴らなくなるって、ネットの掲示板で見たから……」

misono似の少女が、あっけらかんと、どこか勝ち誇ったように話す。どうやら彼女のほうがリーダー格のようで、モモコ似のほうの少女はただうなずいて同調している。所持金を聞けば、二人とも千円程度しか持っておらず、商品を買い取ることはできない。身分を証明できるものもないというので、メモ用紙に人定事項を書いてもらうと、ともに十六歳だという二人は、この店の近所におばあちゃんと二人で暮らしていると話した。

「おばあちゃん、迎えにきてくれるかな？」

「前に捕まったとき、これが最後って言っていたから、たぶん来てくれない」

「お父さん、お母さんは？」

「……いない。たぶん死んでる」

幼なじみだという二人は同じような境遇に育ったらしく、中学を卒業してからは、地元のスナックで一緒にバイトしているそうだ。これ以上、彼女たちの生い立ちを知ってしまえば、情に流されてしまう。そんな気がして逃げるように席を離れた私は、内線電話で店長を呼び出した。

連絡を受けて駆けつけた店長は被害品の多さにあきれ、未成年者であることを考慮しても許せないと警察を呼んだ。間もなく現場に臨場した少年課の刑事が被疑者二人の所持品検査を終えたところでmisono似の少女が言った。

「きょうは、夕方からバイトがあるんですけど、何時に帰れますか?」

「当たり前だけど、きょうのバイトは行けないね。あんたたち、保護観〔保護観察のこと〕中だよね? もしかしたら、しばらく帰れないかもしれないよ」

「マジかあ……」

ようやく自分たちの立場を悟ったらしい二人は、テーブルの下で手を握り合ってうつむき、すすり泣き始めた。すると、その姿を見た刑事が二人に言った。

「あんたたち、乳首見えているわよ。背筋を伸ばしていなさい」

その瞬間、店長の視線が彼女たちの胸元に走ったのを現認した私は、この人も捕まえたほうがいいと言いたい気持ちになった。

出会い系不倫の女

当日の現場は、東京の繁華街にあるホテル街のそばに位置する中規模総合スーパーDだった。土地柄なのか、外国人やホームレス、水商売風の客が目立ち、どことなく落ち着かない雰囲気をもつ店だ。前の契約が終了して以降、しばらくご無沙汰していた現場だが、ここのところ夜間の被害が頻発しているようで、この日は十四時から二十二時までの勤務を依頼された。繁華街での夜勤は客質が悪く、いつもより緊張を強いられるので、正直なところ苦手だ。

「こんな時間からホテルに入るなんて、どんな関係なんだろう」

年齢さまざまな複数のカップルとすれちがいながら、昼すぎの小雨降りしきるホテル街を抜けて現場に向かうと、やけに顔色の悪い店長が満面の笑みで出迎えてくれた。

「お、きょうは忙しくなるかな。最近、ちょこちょこと怪しいのを見かけているので、よろしく頼みますね」

控えめな言い回しではあるが、言われている側からすればこうしたひと言が大きなプレッシャーになる。

「たくさんいるから、捕まえろ。あんた、そのために来たんだろう?」

万引き被害は店長の賞与査定に影響するというので、このような本音が聞こえてくる気がしてしまうのだ。

「早く一人でも捕まえて、楽になりたい」

その一心で閑散とした店内の巡回を始めると、一時間ほど経過したところで、肩に下げたトートバッグに手を差し入れてなにかを取り出している中年女性を発見した。一見して四十代前半くらいにも見えるが、胸や尻の形を強調した黒のタイトなワンピースに赤いハイヒールという典型的な水商売風の服装が、その年齢を不詳にしている。髪の毛も茶色で、顔を確認すると前衆議院議員の豊田真由子に似ているように見えた。男好きのするいい女といえば聞こえはいいだろうが、正直なところ昔でいう尻軽女といった雰囲気で、あまり信用されないタイプに思える。

「なにをしているのかな？」

遠巻きに行動を見守っていると、ドラッグコスメのコーナーでいくつかの化粧品と○・○一ミリの避妊具、マッサージオイル、いちばん高価な栄養ドリンクをカゴに入れた女は、この店いちばんの死角になっている狭い通路に向かっていった。そこで手に握っていたらしい小型カッターを取り出した女はいくつかの商品に貼ってある防犯シールを切り裂き、商品を次々とトートバッグに隠した。先ほどバッグから取り出していたのはカッターだったのだ。

そのまま目を離さないでいると、歯磨きセットとミントタブレット、二本の缶コーヒーを棚から手にして、そのままレジに入っていった。チラチラと後方に視線を飛ばしているところを見れば、悪いことをしている認識はあるのだろう。いくつかの商品を精算することで客として帰るつもりのようだが、自分の心まではごまかしきれていない様子だ。レジ店員の視線を気にして、トートバッグの口を脇の下で固く押さえた女は、支払いをすませると屋上駐車場に向かうエレベーターに乗り込んだ。店内が閑散としているため同乗者は誰もいない。扉が開いているあいだは目を大きく見開いて追っ手の気配を探していたので、同時に乗り込めば瞬時に気づかれてしまう気がした。

扉が閉まり、エレベーターが動きだすのを見届けた私は、脇の階段を駆け上がって後を追った。私が屋上駐車場のエレベーターホールにたどりつくと同時にエレベーターから下りてきた女は、降りしきる雨に躊躇しているのか出口前で足を止めている。隠した商品を出していないか、念のためにエレベーターのなかを確認すると、それらしきモノは一つも見当たらなかった。

［**間違いない**］

声をかけることに決めて動向を見守ると、営業車のように見えるワゴン車が出口前に横付けされた。

「おまたせー」

猫なで声を出しながら後部座席の扉を開いた女が、トートバッグを車内に置いたところで声をかける。

「お客さん、すみません。店の者ですけど、なにかお忘れじゃないでしょうか？」

「はあ？　なんですか？」

眉間にしわを寄せて目を大きく見開いた女は、麻生太郎のように口元を歪めて私をにらみつけた。

カッターのことが気になって手を確認してみたが、いまは持っていないので、その表情にひるむことなく要件を簡潔に伝える。

「そのトートバッグに入れた商品、お金払ってないですよね。一緒に事務所まで来てもらえますか？」

「……ごめんなさい。でも、この人は関係ないので、わからないようにしてもらっていいですか？」

「お話しすることはないから大丈夫ですよ」

こちらが動じなかったことが功を奏したのか、とたんに表情を変えて犯行を認めた女は、後部座席にあるトートバッグを取り出しながら言った。

「忘れ物しちゃったみたいだから、もう少し待ってて」

よけいなことは聞かれたくなかったのだろう。男性の返事を聞くことなく、そそくさと扉を閉めた女は、自ら進んでエレベーターホールに戻った。事務所に向かう道中、いつの間にか泣いていた女が、私の袖口をつかんでつぶやく。

「お金払ったら、警察には行かないですよね？」

「それは店長さんが決めることで、私にはわからないです」

「あの人に待ってもらって、大丈夫でしょうか」

「天気も悪いし、どちらにせよ、お迎えは必要になると思いますけどね……」

事務所で身分を確認すると女は四十六歳のパート従業員で、仕事帰りに同僚と立ち寄ったと話した。今回の被害は計七点、合計九千円ほど。所持金を聞けば、三万円ほど持っているというので、経済的な理由で盗んだわけではなさそうだ。一連のことを店長に報告すると、よくやってくれたと破顔の笑みで褒められ、すぐに警察を呼ぶことになった。女に聞かれないように注意しながら通報をすませて、警察官が到着するまでのあいだはたわいない話をして場をつなぐ。

「防犯シールをカッターで切るなんて、初めてではなかなかできないことだと思いますけど、いつもやってるの？」

「本当にすみません。お金払うので、警察だけは……」

そんなやりとりをしているうちに女のことを心配した同行の男性が事務所に現れ、その後から警察官が続いて到着した。一気に修羅場となって激しく動揺した女は、顔を覆ってうずくまると大声で泣き始めた。警察官の質問にも答えられないほどの混乱ぶりで、ようやく状況を理解したらしい男性は、女をかばうこともせずぼうぜんとしている。ガラウケの存在有無を確認したい警察官が、男性に尋ねた。

「あんたたちは、どんな関係よ。ご夫婦？」

「いいえ、ネットで知り合って、さっき初めて会ったんです。本当の名前も知らないくらいの関係なんですよ」

どうやら二人は、出会い系サイトを介して知り合ったらしく、これから近くのホテルで時間を過ごすつもりでいたらしい。

「お願い、主人には言わないで！」

ようやく泣きやんだ女が放った断末魔の叫びは、いまも耳に残っている。

万引き商人

新型コロナウイルスの新規感染者が増加していて、仕事以外の時間はほとんどを家で過ごすようになった。日々の買い物にいくこともなくなり、ネット通販やネットスーパーなどを利用して日常生活を維持している。いわゆるネットショッピングは信用できずに抵抗があったが、購入物品の持ち帰りや時間の節約を考えると、これほど楽な買い物方法はない。人と接したり物品を手に取ったりする必要もないので、感染リスクも最小限に抑えられる。人気がある各種のネットオークションもたまにのぞいてはいるが、どんなにお得な商品があっても購入する気にはならない。被害品とおぼしき商品をたびたび目にすることから、まるで買う気にならないのだ。

そのような怪しい商品を出している人たちの出品歴をのぞいてみれば、同様の商品を複数回出品する行為を何度も繰り返していることが多く、いわゆる万引き商人の暗躍している状況が垣間見える。プロの目から見て万引きした痕跡が残る商品に体のいい注釈をつけて出品している人も散見され、その厚顔ぶりにはあきれるばかりだ。ここでは、過去に捕らえた「万引き商人」の実態を話そう。

当日の現場は、関東郊外のベッドタウンに位置する大型ショッピングモールMだった。広大な敷地に立っている二階建ての建物に、食品スーパーをはじめ、日用品やコスメドラッグ、衣料品、ペットなどを扱う専門店が数多く入居しているほか、フードコートやレストラン、映画館にマッサージ店などまで併設されている地域の人気スポットだ。

当日の勤務は、夕方以降の被害が多いということで遅めのシフトが組まれて、十四時からになった。この日が初回のため総合事務所まで挨拶に出向くと、この店の警備隊長だという初老男性が応対してくれ、防災センターまで案内された。扉を開けると、室内の壁は無数のモニターで埋め尽くされていて、テレビ局と見まがうほどの雰囲気だ。

「私は警察出身なんだけど、ずっと交通畑だったから、万引きには疎くてね。防犯カメラの解析くらいしかできないんだ。ここに不審者のファイルがあるから、目を通してもらえるかな」

警備隊長に差し出されたファイルをめくってみると、店に出入りする様子や犯行前後の様子などを写したと思われる写真を中心に、数多くの不審者がファイリングされていた。どうやら警備隊長は細かい性格の持ち主らしく、日時や場所のほか、持ち物や服装、使用した出入り口、来店手段なども詳細に記録してある。

「ずいぶんと細かくまとめておられますね」

「交通鑑識していたものだから、資料作りだけは得意なんだ」

どこか自慢げな様子で胸を張るスキンヘッドの警備隊長が、几帳面すぎるほどきれいにまとめられた不審者ファイルを片手に、過去の被害を語り始める。

「先週は、この集団に洋服をたくさんやられちゃってさ。このばあさんは、毎朝必ず来る常習犯。で、このおじさんが……」

自分の仕事ぶりをアピールしたいのかファイルをめくりながら解説するが、捕捉実績は皆無のようで被害自慢にしか聞こえない。いくらデータの収集が上手でも、それを使いこなせなければなんの意味もないのだ。こうしたモールの多くは積極的に警察OBを採用しているが、彼らの多くは事後に詳しいばかりで現行犯に弱い。当たり前のことではあるが、ただモニターをにらんでいるだけでは万引き犯を捕まえることはできず、その被害は膨らむばかりである。業務開始時刻が迫っていたため、少し大げさに時計を気にするそぶりを見せた私は、歯周病の臭いを漂わせながら気持ちよさげにしゃべる警備隊長の話を遮って、さっさと現場に入った。

二十時過ぎ。まったく不審に思えない人物の追尾をあれも怪しいこれも怪しいと勤務時間いっぱいまで指示する警備隊長から解放されて間もなく、人けがない衣料品売り場をゆっくりと巡回していると、大きなトートバッグを肩に下げた四十代前半とおぼしき体格のいい女性が目に留まった。悪役をこなす女子プロレスラーのような雰囲気をもつ、いかつい顔の女性だ。

一見して五十枚以上はあるだろうか。カートに載せられたカゴには、大量のストッキングが入っている。こんなに大量のストッキングを一度に買う人は見たことがない。不審に思って目を離さないでいると、カート下段にあった空のカゴと商品を満載した上段のカゴを載せ替えた女性は、再度ストッキングに手を伸ばした。

「あんなにたくさん、どうするつもりなんだろう」

商品のサイズを確認することなく、まるで豆まきをするときのような動きで商品を乱暴にわしづかみした女性は、それらをカゴに投げ入れて売り場から離れると、次は化粧品売り場で足を止めた。そこで人気ブランドの口紅やファンデーション、美白系の化粧水などを、値段などを確認することもなく複数個ずつカゴに入れて、何度も後方を振り返りながらエレベーターに乗り込む。一緒に乗り込める雰囲気ではないので、脇にある階段を駆け上がると、多目的トイレに入る女性の姿が見えた。おそらくは、ここで商品をトートバッグに詰め替えるのだろう。商店内の多目的トイレが万引きの現場で悪用されることは、よくあることなのだ。

案の定、トートバッグをパンパンに膨らませて多目的トイレから出てきた女は、そのままエレベーターに乗り込んで階下に下りていった。念のため、放置された商品がないか多目的トイレの室内を確認してから、また階段を駆け下りる。

「あの、お客さん？　きちんとお会計していただかないと」

「あ、はい。すみません」

エレベーターから出て、そのまま店の外に出た女に声をかけると、こちらが拍子抜けするほど素直に犯行を認めて、事務所への同行に応じた。防災センターの応接室に女を案内して身分を確認すると、彼女は三十九歳。ここからほど近いアパートで一人暮らしをしているそうで、半年ほど前に失業してから職に就けていないと話した。続けて、トートバッグに隠した商品を出させると、テーブルに載りきらないほどのストッキングが大量に出てきた。その数、なんと八十三点。そのほかに、口紅とファンデーション、化粧水も三つずつ盗んでいるので、それらを合わせると九十二点の被害だった。すでに警備隊長は帰宅しているため、内線で副店長を呼び出して、今後の判断を委ねる。

「ストッキング、こんなにたくさんいらないでしょう？　どうするつもりだったんですか？」

「仕事が見つからなくて、お金がないから、ネットで売ろうと思って……」

「化粧品も、そのつもりで？」

「はい、すみません。このへんは人気あって、メルカリとかに出すと、すぐに売れるんです」

被害を特定するため、警察への通報を終えた副店長に被害品のレシートを出してもらうと、被害合計は九万円を超えた。所持金を尋ねれば二千円ほどしか持っておらず、貯金もなく、クレジットカードなども止められているというので、被害品の買い取りはできそうにない。誰か立て替えてくれる人がいるか尋ねても、身寄りはなく、助けてくれる友人もいないと話す。被害状況からだけでも、前科前歴を問わず逮捕されそうな状況にあるが、被害品の買い取りもガラウケの用意もできないとなると、その可能性は一気に高まる。

「あんた、二週間前にも同じことでウチの署に来てるじゃないか。きょうは逮捕するから。しばらくのあいだ、家には帰れないよ」

「はい、すみません。家賃も払えないし、ごはんも食べられないから、それでいいです」

その後、臨場した警察官に逮捕された女は、ひととおりのボディーチェックを終えると警察署に連行された。時計を見れば、すでに業務終了時刻である二十二時を過ぎている。これから実況見分をおこなって警察署で調書を書くとなれば明け方までかかるにちがいなく、逮捕者である私も今夜は家に帰れそうにない。

「**始発までどこで過ごすか。ファミレスかネットカフェがあればいいけど、コロナでやってないだろうな……**」

そんな思いのなか、実況見分のために多目的トイレの扉を開くと、二つのカゴを載せたカートが寂しげにたたずんでいた。すべての処理を終えたのは午前四時。ありがたいことに担当刑事が自宅まで送ってくれて無事に帰宅できた。

少年万引きから考えるガラウケの重要性

お年玉

毎年のことだが、大みそかから三が日を過ぎるまでは依頼が少なく、たとえ依頼があったとしても人であふれる特売の催事場などがおもな現場になる。コロナ禍の二〇二〇年の年末は新年のイベント的な催事の開催が控えめで、依頼がまったくなかった。二一年の仕事始めは六日から。ここでは、そのときに捕らえた小学生の事案について話そう。

当日の現場は、関東近郊にある小さな駅の駅前に位置する総合スーパーAだった。古いため複雑な構造の三階建てのビル内にある売り場は、食品のほかにも衣類や文具、書籍、玩具、化粧品などを満遍なく扱っている。各フロアとも面積が広く、死角が多いレイアウトであるうえに品数も豊富なので、万引き被害が絶えず、長年お世話になっている現場の一つだ。本日の業務は午前十一時から。いつもより早く現場に到着した私は、みなさんに新年の挨拶をすませてから、店内の巡回を始めた。

ランチを求める人で混雑する昼のピークは、地下一階にある食品売り場の総菜コーナーを中心に警戒する。万引きの現場を知らない人は意外に思うかもしれないが、弁当や総菜を盗む人は意外に多く、ポケットにおにぎりを隠したり、弁当をそのまま持ち去ったりする手口が横行しているのだ。なかには毎日のように犯行を繰り返して毎月の食費を浮かせる常習者も存在していて、店の場所によってはホームレス系の人たちによる犯行が多発することもある。そうした事情から、食事時の混雑時には総菜売り場を中心に警戒するのだ。

弁当を選ぶ客に紛れて総菜売り場を警戒していると、間もなく小学生らしい女の子が店に入ってきた。周囲を見渡しても家族らしき人の姿は見当たらないので、どうやら一人で来たようだ。女の子の腰元には寒色系の大きなエナメル製スポーツバッグがかけられていて、よく見ればチャックが全開になっている。大きく口が開いたスポーツバッグが気になった私は、この女の子の行動を見守ることにした。

間もなくパック入りのフライドポテトを二つ重ねて手にした女の子は、その上にたらことツナマヨのおにぎりを一つずつ載せると、人けがない菓子売り場に早足で移動していく。そして、腰元のスポーツバッグを前方に持ってきて、警戒の目で周囲をうかがうと、そのなかに商品を隠した。その顔を見れば、『名探偵コナン』(原作：青山剛昌)に出てくる黒ずくめの人のような目になっていて、悪いことをしていますと顔に書いてあるようだ。

それから、周囲に人がいないことを再度確認した女の子は、目の前に陳列されるお菓子を選ぶこともなく棚からむしり取るようにして次々とスポーツバッグに隠した。お目当ての商品は少し高価なチョコレートやビスケット、ボトルガムなどで、いくつかの駄菓子までスポーツバッグに放り込んでいる。たくさんのお菓子を詰め終えて満足したのか、スポーツバッグのチャックを閉めた女の子は、それを腰の位置に戻すとエスカレーターに乗り込んだ。

後を追う私の存在には少しも気づかないまま、玩具や文房具、電化製品を扱う三階で降りた女の子は、ファンシー文具や色ペンセット、シール、ぬいぐるみなどといった商品を、フロアのいたるところで次々とスポーツバッグに吸い込ませた。現認した商品の数が多いほど誤認の不安なく声をかけられるため、犯行のすべてを目撃したいところだが、あまりに品数が多くて覚えきれそうになく、注視に気づかれる可能性もあるので無理はしない。もちろん、現認した数が多いほど、被疑者の犯意は明確になる。でも、その分だけ調書作成にかかる時間は長くなるので、あまりに多くを見過ぎてしまい後悔したこともあった。極端なことを言ってしまえば、万引き犯を逮捕するのに盗まれたものをすべて覚える必要はなく、しかるべき場所で声をかけたときに、お金を払っていない商品が一つでも出てくればいいのだ。

三階での犯行を終えた女の子は、人けがない階段を通って化粧品売り場がある一階まで下りると、そこでもいくつかの商品をスポーツバッグに隠し入れていた。どうやら口紅やネイルグッズなどを隠したようだ。すでに十分な現認があるので、遠巻きにして女の子の位置だけを把握していると、ようやく出口に向かって歩き始めた。不自然なほどに後方を振り返る女の子の様子が、その犯行を裏付けているように見える。

「こんにちは。おじさんね、この店の人なんだけど、なんで声かけられたかわかるよね?」

「なんですか？　私、関係ありません」

「お菓子とか文房具とかのこと、全部見てたよ。ちゃんと、ごめんなさいしないとね」

「……知らないです！」

身をねじって逃走を図ったのでアウターの腰元をつかんで制止するも、小さな体を大きくばたつ

大量の商品を盗んだ少女

かせて暴れる。仕方なく女の子を小脇に抱えた私は、ラグビー選手のようにして事務所に連行した。ようやく罪を認めて泣きじゃくる女の子を被疑者席に座らせ、スポーツバッグに隠したモノを出させると、ありとあらゆる商品が複数個ずつ出てきた。盗んだ商品以外のモノは出てこなかったので、ただ盗みにきたとしか思えない状況だ。駆けつけた店長と一緒に人定事項と所持金を尋ねると、この店の近くにある団地に住む小学五年生で、二百三十円しか持っていないという。

「きょうは、どうしたの？　こんなにたくさん……」

「みんなお年玉で好きなモノ買っているのに、私はもらえなかったから……」

目の前のデスクに並べきれず、山積みにされたブツを前に涙を流す女の子をなだめながら事情を聴くと、いままでに聞いたことがない言い訳を耳にすることになった。お年玉をもらえなかったから万引きしたというのは、いったいどういうことなのだろうか。

「お年玉、もらえなかったんだ？」

「ウチは八人兄弟だから、そんなお金はないって……」

聞けば、八人兄弟の七番目だという女の子は、兄弟が多すぎるためにお年玉がもらえないらしく、そのストレスが引き金となって万引きしたようだ。通報要件の聴取を終えて店長に事後の判断を仰ぐと、どこか悲しげな表情をした店長が山積みにされたブツを見ながら言った。

「これ全部、自分で使うつもりだったのかな？」

「ううん。ウチのみんなにも、分けてあげるつもりで……」

「もしかして、誰かに頼まれたの？」

「お兄ちゃんが、バッグを貸してくれたけど……」

同じ商品を複数ずつ盗んだのは、家族に分け与えるためだと話した女の子は、デスクに顔を伏せると派手に泣き始めた。少しかわいそうな気もするが、今回の被害は計五十九点、被害額合計は一万八千円相当にのぼっている。たとえ、お兄ちゃんの指示があったにせよ、自分の好きなモノもたくさん盗んでいるので、さほど同情できない状況といえる。その後、警察に引き渡された女の子は触法少年扱いになって厳重注意のうえで保護者に引き渡されることになった。

その日の下番（退勤連絡）時。業務終了の挨拶のため事務所に顔を出すと、女の子と母親らしき女性が、少年課の女性刑事に付き添われて謝罪に来ている場面に遭遇した。刑事が謝罪に同行することは珍しく、なにかあったのかと、報告書を用意しながら聞き耳を立てる。

「このたびは、ウチの娘が申し訳ありませんでした。恥ずかしながら、商品を買い取るお金は用意できないんですけど、お許しいただけますでしょうか」

おそらく、金がなく謝罪に来たがらない母親に保護者としてのけじめをつけさせるために、お目付け役として刑事が同行してきたのだろう。下唇を噛んで居心地悪そうにうつむく女の子の顔が痛々しく、お年玉をあげたい気分にさせられた。

サッカー少年

高校サッカー選手権の試合をテレビ観戦していると、聞き覚えがある学校の名前が出てきて、ある少年のことを思い出した。その学校のそばにある大型スーパーで、忘れえぬ受傷事故に遭遇したのだ。

　当日の現場は、関東郊外の住宅地にある大型スーパーYだった。食品はもちろん、衣類やドラッグコスメ、文具や玩具、家電まで扱う大型の総合スーパーだ。自宅から一時間半ほどかかる場所にあるため、交通費負担の事情などから普段は入らない現場だが、急な欠員が出てしまったためシフト変更になり、この日初めて勤務した。営業担当によれば、この地域でいちばんといえるほど荒れた現場で、外国人を含め、相当数の常習者を抱えているそうだ。古い構造の老舗店であるため、防犯機器の導入も少なく、保安員を導入するたびに複数の捕捉がある状況だという。

　街の雰囲気をつかむために少し早めに出て駅前を散策してみると、団地とパチンコ店、スナック、ファストフード店ばかりが目立つ。その街並みはどこかどんよりとしていて、ここに住みたいとは思えない雰囲気を醸し出している。入店の挨拶をするために総合事務所まで出向くと、頭髪が少ない店長に、見るからに面倒くさそうな態度で対応された。

「あれ?、初めてみる顔だな。いつもの人は、どうした?」

「身内に不幸があったようで、きょうは私が担当することになりました。連絡入っていませんか?」

「ああ、なんか聞いたかもなあ。まあ、いいや。面倒なことは、お断りだからさ。それだけ気をつけて、あとは適当にやってください」

　まるで信用されていないようだが、初日の現場ではよくあることなので、特に気にすることなく現場に入った。巡回を始める前に店内の状況を確認すると、出入り口が多く複雑な売り場は死角だらけで、重くどんよりとした雰囲気が充満している。おそらくは店長にやる気がないからだろう。剝がされた値札や中抜きされた商品の空き箱なども商品棚のあちこちに放置されていて、かなりの被害が見受けられた。万引き被害は、店長にやる気がないほど大きくなってしまうものなのだ。

どこでなにを盗まれてもおかしくない状況なので、勘を頼りに被害が多そうなフロアを中心に巡回していると、しばらくして家電フロアのドライヤーコーナーで眼を振る（あちこちに目を飛ばして周囲を警戒する）ブレザー姿の高校生らしき少年が目に留まった。前髪と襟足だけが異常に長い鶏冠のようなヘアスタイルと、ズリ下げたズボンからワイシャツの裾を出したままのだらしがない姿が印象的な少年が、ディスプレーされた「くるくるドライヤー」を手に、異様なほど鋭い目つきで周囲をうかがっていたのだ。気になって少し離れたところから行動を見守れば、あちこちに視線を飛ばした少年は、ブレザーのポケットから小さなニッパーを取り出した。それで「くるくるドライヤー」のサンプル品につけられたワイヤーを切断するとドライヤーを手に持ったまま下りのエスカレーターに乗り込んで、そのまま外に出ていった。

「こんにちは、店の者で……、待て！」

声をかけると同時に脇目もふらずに走りだした少年は、隣接する駐車場に逃げ込んだ。慌てて後を追うが、駐車場の管理をしているおじさんの制止を振り切って場内に侵入していく。駐車場の出入り口は一つしかなく、周囲の壁も越えられる高さではないので逃げ場はない。行き場を失い駐車場の隅まで追い詰められた少年に、努めて冷静に優しく声をかける。

「危ないから、逃げないで。大丈夫だから、な?」

そう言いながら袖口をつかむべく距離を詰めると、素早く身をねじった少年は右へ左へと素早いステップを踏んで、私の脇をすり抜けた。

「こら、待て!」

慌てて振り返ると、心配して様子を見にきてくれていた駐車場のおじさんが両手を広げて少年の行く手を阻んだが、同じようにステップを踏まれて、あっという間にかわされている。

「いやあ、くやしいなあ。あんなに速くちゃあ、捕まえられないよ」

「ああ、逃げられた。お騒がせして、すみません。私、ここの保安員なんですよ。また、あとで説明に来ますね」

もはや走れないので、ゆっくり深呼吸をしながらできるだけの早足で少年の後を追う。すると、けたたましいスキール音に続けて大きな衝撃音が聞こえてきた。駐車場から大通りに出ると、前方がへこんだ車が道の真ん中に止まっていて、道路上に少年が横たわっている。

「おい、大丈夫か?」

「あ、あ、足が……」

駆けつけて声をかけると、しきりと足の痛みを訴えるので確認すれば、右足があらぬ方向に曲がっていた。とても痛そうにしているが、傍らに落ちた「くるくるドライヤー」を見ると純粋に同情する気にはなれない。その場で救急車を呼び、先に駆けつけた警察官に事情を話すと、顔面蒼白の状態で泣き叫ぶ少年を見下ろして言った。

「お前、バカだなあ。しばらくそうして反省してろ」

警察官に付き添われて救急搬送される少年を見送った私は、別の警察官と一緒に事務所に向かった。万引きをして逃走した結果、急に飛び出して事故に遭ったという事実を明らかにするため、被害届を出してもらえるよう店長に話してほしいというのだ。事件化するとなれば、各書類への署名・捺印や防犯カメラの検証など、まるで得にならないことに多くの時間を割くことになる。

「面倒なことは、お断りって言ったよな?」

意地悪げに言う店長をなだめて、警察対応の全権委任を受けた私が警察署に出向いて書類を作ることを条件に、被害申告の手続きを進めていく。店内、駐車場、道路での実況見分をすませてパトカーで警察署に向かうと、この日の行き先は少年課だった。書類作成中に得た情報によれば、少年は店の近くの私立高校に通う高校二年生で、右足の複雑骨折で手術し入院する予定だという。サンプル品の「くるくるドライヤー」ほしさに、とてつもなく大きな代償を支払うことになった少年は、いまなにを思うのだろう。若気の至りではすまされない愚行が、少年の未来を闇で覆う。

「さっき、ご両親と連絡がついたんだけど、あの子、サッカー部のレギュラー選手なんだってさ。全国大会出場をめざしているから、学校には言わないでくれって。お母さんは、息子のやったことよりも、学校とかケガのことを気にしていたなあ」

過去に捕捉した高校生の例を振り返れば、なぜか野球やバスケットなどよりもサッカーをやっている子の事例が多く、声かけ時の逃走率も高いように思える。ここ数年、少子化の影響もあって少年による万引きは減少しているが、捕まえられなかった成功例を考えればその暗数は計り知れない。

集団で来店して堂々と万引きしていく悪質なグループも、各地に存在している。保安員を探して追いかけ回し、盗撮した写真をSNSのグループで共有する高校生グループもいた。逃げるが勝ち。バレなければ、なにをしてもいい。捕まえられるものなら捕まえてみろ。そんなゲーム感覚の万引きに興じて将来を台なしにするほど愚かしいことはないのだが。

報復行為で得られるもの——「あとがき」にかえて

二〇二一年三月、ドラッグストアで万引きをして保安員に捕まって懲役刑を受けて出所した三十代半ばの男が、捕捉した保安員の関係先に汚物を何回も送っていやがらせをしたとして、大阪府迷惑防止条例違反で逮捕されるという事件があった。捕まったことに対する報復とみられ、数年にわたって複数回、使用済みの靴下やスリッパ、紙屑入りのごみ袋などをダンボールに詰めて着払いで送り付けていたという。汚水を入れたウオーターサーバー用のタンクを送り付けたこともあったといい、その発想に驚きながらも、宅配便の配送料金が気になった。警察の調べに対して被疑者は、ゴミを送ったのではなくプレゼントのつもりだったと供述していて、まるで反省の色はないようだ。

いやがらせ行為は、出所直後から始まったと報道している。保安員の住所を知ることができた背景が気になるが、それに言及する記事は見当たらない。被害者や逮捕者の住所・氏名は、被害届や供述調書、現行犯人逮捕手続書（乙）などを見れば複数箇所に記載してある。被疑者が逮捕者の住所を知るためには、それらの書類をのぞき見るほかなく、それ以外の手段は考えられない。

経験があればわかるだろうが、取り調べ中に捜査官は取調室をたびたび出入りする。慎重な捜査官は隙を見せることなく書類を裏返しにして記載面を隠して退出するが、なかには気遣うことなく放置したまま退室する捜査官もいて、のぞき見ようとすればできてしまうことは否定できない。長時間にわたって密室でおこなわれるためにそのチャンスは多く、タイミングさえあえば簡単に盗み見ることができるだろう。見てはいけない、撮影してはいけないと言われるほど、それに固執してしまう人がいるのも事実である。私自身、検事席に置いてある被疑者の経歴書や身分帳（刑務所で使用される個人台帳）を目にしたとき、どんな内容が書いてあるのか非常に気になった。もちろん、無断で盗み見ることはしないが、逮捕者を逆恨みする被疑者だったら、どうだろう。このような情報漏洩からより凶悪な被害が生じる可能性は捨てきれず、再発防止策を講じてもらいたい。

ここでは、私が経験した万引き犯の報復行為について話す。

当日の現場は、関東の郊外に位置する大型ショッピングセンターHだった。食品のほかに書籍や衣料品、日用品、コスメドラッグまで扱う老舗店だ。近隣に商店が少ないために、この店のフードコートは異様なほどの活気を見せていて、老若男女を問わず数多くのお客が来店する人気スポットになっている。ここのところ、そのフードコートが地元高校生を中心にした不良グループのたまり場と化してしまい、それに乗じて万引き被害も増えているということで、その摘発を依頼された。事務所まで挨拶に出向くと、五十代くらいの渋めの店長が色つき眼鏡の位置を直しながら言った。

「売り場にいる高校生は、だいたいやっているから、なるべく捕まえてください。あと、フードコートでの迷惑行為を見かけたら、これで呼んでもらえるかな。ちょっと隙をみせるとすぐ調子に乗るから、なかなか大変なんだ」

保安専用と書いてある充電器からＰＨＳ端末を外した店長が、それを私に差し出しながら言った。

あまり聞かない内容の依頼を受け、どこかワクワクとした気持ちで現場に向かった私は、フードコートの状況から把握することにした。昼前にもかかわらず、フードコート内には多くの高校生がたむろしているありさまだった。勉強しているグループもいくつかあるが、そのほとんどがスマホのゲームなどに興じていて、テーブルに伏して寝ている生徒たちまでいる。いちばんひどいのは、テーブルに足を投げ出して足の爪を切っている者がいるグループで、その足元には爪の破片や飲食物の残骸が散らかっていた。みんないちようにワイシャツの襟元を大きく開き、髪をそれぞれの色に染めている四人組で、足の爪を切っている白に近い金髪の男性がリーダー格の雰囲気を漂わせている。グループのなかでもひときわ体格がいい男で、発する威圧的な雰囲気が善良な一般客を遠ざけているようだ。マナーやモラルを守らないことで目立ちたいのか、奇声をあげてじゃれあい、キックボクシングのマネごとまで始めたので、店の外に出てから店長に連絡を入れた。

「また、あいつらか。どうせ言っても聞かないから、売り場に出て悪さするまで、目を離さないでもらえますか？　従業員にも、注意するよう伝えておくので」

フードコートの外にある雑貨店に潜んで彼らの動向を見守ること九十分。ようやく動きだして食品売り場に向かった彼らは、売り場通路の端に見張り役を立てた。近づくことができないためにかなり離れたところから状況を見守っていると、部活用らしい大きなバッグを開いて、チョコレートやポテトチップス、ボトルガムなどの商品を次々に隠していくところを現認できた。店長に連絡を入れて、現在の状況を報告する。

「やったの、見れたの⁉　本当に、間違いない？」

「間違いないですよ。まだやりそうな雰囲気ですけど、一緒に見ますか？」

「いや、間違いないなら、一一〇番しちゃう。あいつら、絶対に暴れるから」

そのまま注視を続けていると、菓子パンとドリンク、それに高価なアイスクリームを同様の方法で隠した彼らは、その足で書店に向かっていった。十分な現認があるので深追いすることなく店の外から動向を見守ると、団子状態になってオートバイと格闘技の雑誌をバッグに隠すところを目撃できた。続いて、あやしくも楽しげな目つきでコミックス売り場に向かう彼らに注視していると、現場に臨場した刑事が声をかけてきた。

「ご苦労さまです。あいつらですね？」

「はい」

「やったのは、間違いない？」

「食品売り場で、お菓子やアイス、ドリンクを入れて、いまさっき雑誌を入れるところも見ました。これからコミックスをやると思いますよ」

すると間もなく予想どおり人気コミックスをバッグに入れた彼らに、三人の刑事が声をかけた。その場で同行を求められた彼らとは別のパトカーで警察署に向かい、ひととおりの手続きをすませて事務所に戻る。

「今日は、よくやってくれました。発注しておくので、また来てもらえますか？」

それから二日後。指名をもらったため、勤務予定を変更してこの店に入った。事務所に出向くと、挨拶もそこそこにどこか元気がない様子の店長が言った。

「こないだはお疲れさまでした。昨日のことなんだけど、ちょっと大変なことが起こってさ……」

話を聞けば、食品売り場に陳列した複数の米袋に穴を開けられる被害に遭ったそうで、夜中まで防犯カメラの検証作業をしていたという。

「さっきはペットボトルのフタが開けられてる被害も発覚してさ。いくつか苦情も入っていて、困っちゃうよ」

「防犯カメラには、なにも映っていないんですか?」

「それがさ、ちょっと不鮮明なんだけど、こないだの子たちみたいなんだよね。そろそろ警察も来ると思うから、一緒にいてくれる?」

その後の調べで、一連の犯行は彼らによるものだと判明した。正面口の扉の鍵穴に瞬間接着剤を注入していた事案も追加され、後日、器物損壊などの容疑で逮捕されることになった。警察に呼ばれた店長が担当刑事に犯行理由を聞いたところ、前回の犯行後、出入り禁止にされたことが許せずに報復心から犯行に至ったらしい。最終的には、彼らの保護者が弁償金を分担して支払うことで事態は終結した。この日を境に当該高校の生徒はこの店に出入りすることを学校から全員禁じられ、荒れていたフードコートに平穏が戻った。

「これを最後にしてくれたら、それでいい」

万引き犯を捕捉するたびにそう声をかけているが、被疑者固有の特異な報復心を変えるまでには至らない。自分の違法行為を棚に上げ、捕捉されたことを逆恨みして被害店に追撃を与えても、得られるものは後悔と償いしかないことを伝えておきたい。

［著者略歴］
伊東ゆう（いとう ゆう）
1971年、東京都生まれ
万引き対策専門家、万引きGメン
1999年から5,000人以上の万引き犯を捕捉してきた現役保安員
著書に『万引きGメンは見た！』（河出書房新社）、『万引き老人――「貧困」と「孤独」が支配する絶望老後』（双葉社）。テレビ『ジョブチューン――アノ職業のヒミツぶっちゃけます！』（TBS系）、『悪い奴を見逃すな！ THE犯罪特捜ファイル』（テレビ東京系）への出演や映画『万引き家族』（監督：是枝裕和）の製作協力も。大学や警察、検察、自治体での「万引きさせない環境作り」講演も多数

万引き（まんび） 犯人像からみえる社会の陰

発行――2021年5月20日 第1刷
定価――1600円＋税
著者――伊東ゆう
発行者――矢野恵二
発行所――株式会社青弓社
〒162-0801 東京都新宿区山吹町337
電話 03-3268-0381（代）
http://www.seikyusha.co.jp
印刷所――三松堂
製本所――三松堂

ISBN978-4-7872-3487-2 C0036

佐藤直樹

犯罪の世間学

なぜ日本では略奪も暴動もおきないのか

独特の秩序で法のルール以前に私たちを縛る「世間」が、排他性を強めることで犯罪を生み出している。1990年代末以降の犯罪の厳罰化や2000年代からの殺害・脅迫事件を読み解く。　定価1600円＋税

西井 開／ぼくらの非モテ研究会 ほか

モテないけど生きてます

苦悩する男たちの当事者研究

「非モテ」男性たちが自身の実態と「生きづらさ」を赤裸々に語る。生きる困難や加害／被害の経験と真摯に向き合ってきた当事者としての研究をてこに男性学の到達点を提示する。　定価1800円＋税

知念 渉

〈ヤンチャな子ら〉のエスノグラフィー

ヤンキーの生活世界を描き出す

ヤンキーはどのようにして大人になるのか――。高校3年間と中退／卒業以後も交流し、集団内部の亀裂や地域・学校・家族との軋轢、社会関係を駆使して生き抜く実際の姿を照射。　定価2400円＋税

相澤真一／土屋 敦／開田奈穂美／元森絵里子 ほか

子どもと貧困の戦後史

敗戦直後の戦災孤児、復興期の家庭環境、高度成長期における貧困の脱出と不可視化する経済問題――1950・60年代の調査データと新聞報道などを組み合わせ、当時の実態を照らす。　定価1600円＋税

石川瞭子／佐藤佑真／眞口良美／小楠美貴 ほか

セルフネグレクトと父親

虐待と自己放棄のはざまで

自己肯定ができず自己放棄に走って生への欲求も消えた父親のストレスは、妻や子どもへの暴力として現れる。そうした虐待の連鎖を断ち切るために、専門家が防止の方法を提起する。定価2000円＋税

岩渕功一／新ヶ江章友／髙谷 幸／河合優子 ほか

多様性との対話

ダイバーシティ推進が見えなくするもの

LGBT、ジェンダー、移民、多文化共生、視覚障害者、貧困――多様性との対話を通してそれらが抱える問題点を批判的に検証し、差別構造の解消に向けた連帯と実践の可能性を探る。定価1600円＋税

渡邉大輔／相澤真一／森 直人／石島健太郎 ほか

総中流の始まり

団地と生活時間の戦後史

高度経済成長期の前夜、総中流社会の基盤になった「人々の普通の生活」はどのように成立したのか。1965年の社会調査を復元し再分析して、「総中流の時代」のリアルを照らし出す。 定価1600円＋税

若林一美

自死遺族として生きる

悲しみの日々の証言

自死遺族になった親たちは、その日から終わりがない問いと悲しみの日々を生きている。社会の偏見のなかで、死別という不条理を抱えながら生を紡ぐ遺族たちの手記を多数収める。 定価2000円＋税